Die
drei

W0027608

Henriette Wich

Betrug beim Casting

Gefährlicher Chat

Sonderausgabe
Veröffentlicht im Carlsen Verlag
November 2014
Mit freundlicher Genehmigung des Franckh-Kosmos Verlages
Die drei !!! – Betrug beim Casting

Die drei !!! – Gefährlicher Chat

Umschlagillustration: Anike Hage
Umschlaggestaltung: formlabor
Corporate Design Taschenbuch: bell étage
Druck und Bindung: GGP Media GmbH, Pößneck
ISBN 978-3-551-31385-0
Printed in Germany

Betrug beim Casting

Gefährlicher Chat

Betrug beim Casting

Mord im Wohnzimmer

Marie drückte den letzten Rest aus der Tube mit Lebensmittelfarbe und beugte sich konzentriert über die Kuchenplatte. Nur noch ein Ausrufezeichen, dann hatte sie es geschafft. Da klingelte es Sturm an der Wohnungstür.

»Mist!«, schimpfte sie. Das Ausrufezeichen war total verrutscht. Marie pfefferte die Tube in die Ecke und lief zur Tür. Draußen standen Kim und Franziska. »Könnt ihr nicht einfach wie normale Menschen klingeln?«, begrüßte sie ihre Freundinnen vom Detektivclub, mit denen sie sich zu einem Krimi-DVD-Abend verabredet hatte.

»Was ist denn mit dir los?«, fragte Kim besorgt. »Geht's dir nicht gut?«

Franziska zeigte kichernd auf einen Klecks roter Farbe auf Maries Nase. »Haben wir dich beim Schminken gestört?«

»Nein«, sagte Marie und rieb sich die Nase. »Das hab ich schon heute Morgen erledigt. Ich hab für euch geschuftet.«

Kim und Franziska folgten ihr in die Küche.

»Wow, du hast Muffins für uns gebacken!«, rief Franziska. »Hast du dafür überhaupt Zeit neben deinen tausend Gesangsstunden, Theaterproben und Aerobic-Kursen?«

Marie holte bereits zu einer giftigen Bemerkung aus, da knuffte Kim Franziska in die Rippen. »Lass Marie in Ruhe! Die Muffins sehen super aus. Und du hast extra überall drei Ausrufezeichen draufgespritzt.«

Marie nickte. »Klar, schließlich haben die drei !!! was zu feiern. Vier Wochen gibt es unseren Detektivclub jetzt schon.

Ehrlich gesagt hab ich die Muffins gekauft. Nur die Glasur hab ich selbst gemacht.«

Franziska prustete los. »Typisch!« Doch als sie merkte, wie Marie genervt die Augen verdrehte, wurde sie schnell wieder ernst. »Entschuldige, ich hab's nicht so gemeint. Kann ich was helfen?«

»Ja«, sagte Marie. »Bring die Muffins schon mal rüber ins Wohnzimmer. Was wollt ihr trinken?«

»Cola!«, riefen Kim und Franziska wie aus einem Mund.

»Alles klar«, sagte Marie.

Kurz darauf saßen sie auf dem riesigen, weißen Ledersofa im Wohnzimmer und ließen sich die Muffins schmecken.

Kim leckte sich die Lippen. »Hmm, die Schokostückchen sind das Beste. Ich muss mir gleich noch einen nehmen.« Bei Schokolade konnte Kim nicht widerstehen, die brauchte sie einfach als Nervennahrung, egal ob sie gerade ein kniffliges detektivisches Problem löste oder an einer Krimigeschichte schrieb.

Franziska sah sich inzwischen bewundernd im Wohnzimmer um. Neben dem Sofa stand ein schwarzer Flügel und auf dem glänzenden Parkett lagen wunderschöne Orientteppiche. Marie hatte es echt gut. Ihr Vater verdiente als Schauspieler so viel, dass er sich eine sündhaft teure Altbauwohnung im nobelsten Viertel der Stadt leisten konnte. Am meisten beneidete Franziska ihre Freundin um den Swimmingpool auf dem Dach und den Fitnessraum mit Sauna im Keller. Aber fast noch mehr beneidete sie Marie um ihren Vater, obwohl sie das natürlich niemals offen zugeben würde. Maries Vater spielte nämlich den Hauptkommissar

Brockmeier in der *Vorstadtwache* und Franziska ließ sich keine einzige Folge der spannenden Krimiserie entgehen.
Da hob Marie ihr Colaglas. »Lasst uns endlich anstoßen. Auf die drei !!! und auf viele neue, spannende Fälle!«
»Auf die drei !!!«, riefen Kim und Franziska.
Sie tranken ihre Gläser in einem Zug aus.
Dann stand Marie auf und ging zu einem Regal, das vom Boden bis zur Decke mit DVDs gefüllt war. »Also, welchen Krimi wollt ihr sehen? Ein paar Folgen von der *Vorstadtwache* oder was anderes? Papa hat eine riesige Krimi-Sammlung.«
»Mord im Orientexpress«, sagte Kim wie aus der Pistole geschossen.
Franziska lachte. »Das war ja klar. Damit hat alles angefangen. Wisst ihr noch, wie wir uns das erste Mal im *Café Lomo* getroffen haben? Kim, du mit deinem Buch *Mord im Orientexpress* als Erkennungszeichen in der Hand und ich mit *Tim und Struppi*?«
»Natürlich«, sagte Kim. Sie konnte sich noch an jede Einzelheit erinnern. Wie aufgeregt sie damals gewesen war! Sie hatte in einem Schülermagazin eine Anzeige aufgegeben und Mädchen für einen Detektivclub gesucht. Franziska und Marie waren die einzigen ernsthaften Kandidatinnen gewesen, mit denen sie schließlich ein Treffen vereinbart hatte.
»Damals wollte ich gleich wieder gehen«, sagte Marie und drehte sich grinsend zu Franziska um. »Ich dachte, ihr macht so eine Art Kaffeekränzchen und löst bloß lauter Babyfälle.«
Franziska verzog das Gesicht. »Und ich dachte, mit der arroganten Tussi will ich nichts zu tun haben. Du hast dich total

wichtiggemacht, mit Fremdwörtern herumgeworfen und mit deinem berühmten Daddy angegeben.«
»Tja, ohne mich säßen wir jetzt gar nicht hier«, sagte Kim und schob sich genüsslich ihren dritten Muffin in den Mund. »Wenn ich nicht dauernd zwischen euch vermittelt hätte, hättet ihr nie festgestellt, dass ihr euch doch ganz gut leiden könnt, und wir hätten nie unseren ersten Fall gelöst.«
»Das stimmt«, sagte Marie. »Ohne dich läuft hier gar nichts.«
Franziska nickte. »Du bist der Kopf von den drei !!!.«
Kim wurde rot. »Übertreibt mal nicht.« Sie hasste es, im Mittelpunkt zu stehen.
»Ach übrigens«, sagte Marie, »du hast doch bestimmt Kontakt zu Michi. Wie geht es ihm denn?«
»Gut«, sagte Kim und wurde schon wieder rot.
Bei ihrem letzten Fall hatten die drei !!! Michi Millbrandt kennengelernt und Kim hatte sich sofort in ihn verknallt. Zum Glück lenkte Franziska von dem heiklen Thema ab. Plötzlich packte sie Kim am Arm. »Das Beste hab ich euch ja noch gar nicht erzählt! Ich hab meine Eltern gefragt, ob wir den alten Pferdeschuppen bei uns hinterm Haus benutzen dürfen, und sie haben nichts dagegen!«
»Toll!«, rief Kim.
»Super!«, sagte Marie. »Du hast aber deinen Eltern hoffentlich nicht verraten, wozu wir den Schuppen brauchen?«
Franziska tippte sich an die Stirn. »Für wie blöd hältst du mich? Ich hab kein Wort gesagt, dass wir dort das Hauptquartier für unseren Detektivclub einrichten. Stattdessen hab ich erzählt, dass wir jetzt total gut befreundet sind und einen Raum brauchen, wohin wir uns zurückziehen können.«

»Das ist ja nicht mal gelogen«, sagte Kim, die nichts mehr hasste als Lügen.
»Wie groß ist der Schuppen eigentlich?«, fragte Marie.
Franziska sah sich noch mal im Wohnzimmer um. »Hm, bestimmt halb so groß wie der Raum hier.«
»Dann können wir uns ja so richtig ausbreiten«, sagte Kim.
Franziska nickte. »Ja, aber erst wenn wir das ganze Gerümpel rausgeräumt haben. Der Schuppen ist randvoll mit alten Möbeln, Brettern und Müll. Ach ja, und in einer Ecke steht auch noch eine alte Pferdekutsche. Die könnten wir drinlassen und sie neu anstreichen. Dann hätten wir noch eine weitere Rückzugsmöglichkeit, wenn wir mal ganz geheime Dinge besprechen wollen.«
Marie rümpfte die Nase. »Eine Pferdekutsche? Wie romantisch!« Sie konnte mit Pferden nichts anfangen und würde nie verstehen, warum viele Mädchen so verrückt danach waren. Franziska erzählte auch ständig von ihrem Pony Tinka, und weil sie sowieso gern viel redete, hörte sie damit meistens nicht so schnell auf. Marie hatte keine Lust auf eine neue Tinka-Geschichte und lenkte lieber vorher ein: »Du hast Recht, eine Kutsche ist gar nicht schlecht, vielleicht gibt es da ja ein Geheimfach unter dem Sitz, wo wir wichtiges Beweismaterial verstecken können.«
»Super, das mit der Kutsche«, sagte Kim. »Dann haben wir eine geheime Zentrale wie *Die drei ???* auf dem Schrottplatz.«
»Noch ist es nicht so weit«, sagte Franziska. »Ich warne euch, das wird echt viel Arbeit. Da brauchen wir schon ein paar Tage dafür. Hoffentlich schaffen wir das überhaupt alleine mit dem Ausmisten.«

»Wir können Michi ja fragen, ob er uns hilft«, schlug Kim möglichst beiläufig vor.
»Gute Idee«, sagte Franziska.
Plötzlich leuchteten Maries Augen auf. »Und dein großer Bruder könnte uns auch helfen, Franzi! Stefan hat doch ein Auto. Damit kann er für uns die Sachen zum Wertstoffhof fahren.« Seit Marie Franziskas Bruder das erste Mal gesehen hatte, musste sie dauernd an ihn denken. Er war schon achtzehn und einfach so was von süß!
»Ich werde ihn fragen«, sagte Franziska. »Trotzdem muss jeder anpacken. Vielleicht solltest du dir bei dieser Arbeit ausnahmsweise die Fingernägel nicht lackieren, Marie.«
»Das lass mal meine Sorge sein«, sagte Marie, legte die DVD ins Laufwerk und griff zur Fernbedienung. »Aber jetzt entspannen wir uns!«
Die nächsten eineinhalb Stunden starrten sie gebannt auf den großen Flachbildschirm. Der Klassiker von Agatha Christie war einfach superspannend. Auch wenn die drei !!! natürlich schon vorher wussten, dass alle zwölf Fahrgäste gemeinsam das Opfer getötet hatten. Selbst beim Abspann schwiegen sie und waren alle noch ganz gefangen in der düsteren Krimi-Atmosphäre.
Schließlich räusperte sich Marie. »Es kommt mir vor, als wäre der Mord hier im Wohnzimmer passiert.«
Kim und Franziska nickten und spürten, wie ihnen eiskalte Schauer den Rücken herunterliefen. Dann lachten sie schnell, um die gruselige Stimmung zu vertreiben.
»Wir bräuchten endlich wieder einen neuen Fall«, seufzte Franziska. »Es muss ja nicht gleich ein Mord sein.«

»Ja«, stimmte Kim zu. »Ich könnte auch wieder neuen Stoff für meine Krimigeschichte gebrauchen.«
»Was ist eigentlich mit dem Schreibwettbewerb?«, fragte Marie. »Hast du schon was vom Jugendzentrum gehört?«
Kim nickte. »Ja, die haben mir einen Brief geschickt, drei Tage nachdem ich meine Krimigeschichte abgegeben hatte. Ich hab leider nicht gewonnen. Die Geschichte war zu lang für den Wettbewerb, aber die meinten, ich soll sie ausbauen und die Figuren noch stärker entwickeln. Vielleicht wird ja sogar ein richtig großer Kriminalroman draus.«
»Du bekommst das bestimmt hin«, sagte Franziska. »Ich könnte so was ja nie.«
»Ich auch nicht«, gab Marie zu. »Aber falls dein Krimi verfilmt wird, würde ich gern die Hauptrolle übernehmen.«
Kim lachte. »Geht klar.«
»Und was machen wir jetzt?«, fragte Franziska, während sie die Muskeln ihrer Beine dehnte, die vom gestrigen Skaten noch etwas verspannt waren.
Marie warf einen Blick in die Programmzeitschrift. »Wir könnten noch ein bisschen bei *Afternoon* reinzappen. Die bringen immer ganz gute Videoclips, Interviews, Flirt-Tipps und so.«
»Jetzt kommt's raus!«, sagte Franziska. »Deshalb laufen dir also alle Jungs nach.«
Marie spielte mit einer ihrer langen, blonden Haarsträhnen und verzog die himbeerfarben glänzenden Lippen zu einem geheimnisvollen Lächeln. »Vielleicht …« Dann suchte sie den Sender.
Es lief gerade der Videoclip einer Mädchenband. Nach dem

Song verkündete Moderatorin Sue: »Heute habe ich noch ein super Event für euch. *Afternoon* sucht eine Nachwuchs-Mädchenband, die regelmäßig bei uns im Studio auftreten soll. Die Band wird aus vier glücklichen Girls bestehen. Dazu veranstalten wir in den nächsten Wochen ein Casting in verschiedenen Städten. Alle Mädchen ab vierzehn Jahren können mitmachen, aber ihr braucht die Einverständniserklärung der Eltern. Die Details und Anmeldebedingungen findet ihr auf unserer Website.«

Marie stieß einen spitzen Schrei aus. »Ein Casting!«

Franziska und Kim sahen sich verständnislos an.

»Na und?«, sagte Kim. »Es kommen doch ständig irgendwelche Castings im Fernsehen.«

»Ja, aber die sind sonst immer erst ab achtzehn«, sagte Marie aufgeregt. »Hier kann man schon ab vierzehn mitmachen. Und ich *bin* vierzehn!«

Jetzt hatte Franziska verstanden. »Sag bloß, du willst da mitmachen?«

Marie strahlte über das ganze Gesicht und nickte.

»Hm, warum eigentlich nicht?«, sagte Kim. »Du kannst super singen und siehst toll aus. Du hast sicher gute Chancen.«

»Meinst du?« Marie sprang auf, griff nach einem Muffin und hielt ihn sich als Mikrofon vor den Mund. *»I wanna be a supergirl, I wanna be a supergirl. Look at me, I'm perfect. I wanna be a supergirl!«*

Kim und Franziska schwiegen nach dieser spontanen Showeinlage verblüfft.

Dann fing Kim an zu klatschen. »Wow, das war toll!«

»Nicht schlecht«, sagte Franziska und pfiff durch die Zähne.

Marie lief wie ein Tiger durchs Wohnzimmer. »Hoffentlich ist Papa einverstanden. Er muss einfach Ja sagen. Wie bringe ich ihm das am besten bei? Oh Gott! Ich muss sofort ins Internet und mir die Formulare runterladen. Und dann rufe ich meine Gesangslehrerin an. Ich brauche doppelt so viele Stunden. Dafür lasse ich die Theater-AG erst mal sausen …«
»Hey!«, rief Franziska. »Komm wieder runter!«
»Geht das nicht alles ein bisschen schnell?«, warf Kim ein. »Überleg dir lieber alles noch mal in Ruhe. So ein Casting ist der Megastress.«
Marie sah ihre Freundinnen an, als wären sie zwei Bankräuber, die plötzlich aus dem Nichts auftauchten. »Sorry?«
Franziska seufzte. »Weißt du noch, wer wir sind? Franziska Winkler? Kim Jülich? Die drei !!!, Detektivclub?«
»Klar weiß ich das«, sagte Marie, war aber mit den Gedanken weit weg. »Würde es euch was ausmachen, wenn ihr jetzt geht? Ich hab noch so viel zu tun.«
Kim runzelte die Stirn. Marie war total im Castingfieber. Hoffentlich ging das nicht so weiter, sonst konnten sie ihren Detektivclub glatt vergessen. »Wir müssen noch einen Termin ausmachen«, sagte sie, um Marie festzunageln. »Wann fangen wir an den Pferdeschuppen auszumisten? Der nächste Fall kommt vielleicht schneller, als wir denken, und dann brauchen wir unser Hauptquartier.«
»Wie wär's am Samstag um drei Uhr?«, schlug Franziska vor. »Da ist Stefan auch zu Hause.«
Zum ersten Mal schien Marie wieder richtig zuzuhören. »Am Samstag um drei? Klar komme ich da!«

Das neue Hauptquartier

Marie trat in die Pedale ihres Fahrrads und summte dabei *I'm not a girl, not yet a woman* von Britney Spears vor sich hin. Der Titel war perfekt für die erste Vorrunde des Castings. Im Gesangsunterricht hatte sie ihn auch schon oft geprobt. Oder sollte sie doch lieber einen deutschen Song nehmen? Zum Beispiel *Hungriges Herz* von Mia? Der Refrain war so schön melancholisch: »Mein hungriges Herz beschwert ein bittersüßer Schmerz. Sag mir, wie weit, wie weit, wie weit, wie weit willst du gehn?«

Vor lauter Singen hätte Marie beinahe die Abzweigung zu Franziska verpasst. Im letzten Moment bog sie beim Wegweiser *Tierarztpraxis Dr. Karl Winkler* in den Schotterweg ein. Sie nahm die Hände vom Lenker und sah hinauf zu den alten Laubbäumen. Die Sonne hatte noch Kraft, obwohl es schon Anfang November war, und brachte die orange und rot gefärbten Blätter zum Leuchten. Marie sang noch lauter. Da tauchte auch schon das Haus auf, in dem Franziska wohnte. Die roten Backsteine des Gebäudes leuchteten unter einer dichten Schicht Efeu hervor. Diesmal war Marie die halbstündige Fahrt total kurz vorgekommen. Fröhlich pfeifend stieg sie vom Rad und schob es hinüber zum alten Pferdeschuppen rechts hinter dem Haus.

Als sie ihr Fahrrad abstellte, stieß sie mit Franziska zusammen. Die schleppte gerade eine Matratze ins Freie. Keuchend warf sie diese auf den Boden und wischte sich den Schweiß von der Stirn. »Ach, Supergirl ist auch schon da!«

Kim kam mit einem kleinen Regal unter dem Arm aus dem Schuppen. »Mensch, Marie! Du kommst viel zu spät. Wir hatten doch drei Uhr ausgemacht und jetzt ist es vier.«
»Unser Supergirl will sich vor der Arbeit drücken«, sagte Franziska.
Marie biss sich auf die Lippe. »Quatsch! Ich hatte noch Gesangsstunde. Es tut mir leid, ich konnte nicht eher weg, ihr wisst doch, das Casting …«
»Das Casting, das Casting«, stöhnte Franziska. »Hast du nichts anderes im Kopf? Hier geht es um die Zukunft der drei !!!, da muss jeder seinen Beitrag leisten, auch du. Das ist echt nicht fair, was du da machst, weißt du? Du lässt uns einfach hier hängen und es ist dir total egal.« Franziska steigerte sich immer mehr in ihre Wut hinein.
»Reg dich ab!«, rief Marie. »Die drei !!! sind mir überhaupt nicht egal. Ich hab doch schon gesagt, dass es mir leidtut. Dafür bringe ich das nächste Mal Visitenkarten für unseren Detektivclub mit. Ich hab schon am Computer verschiedene Varianten des Logos ausprobiert. Und Papa lässt die Karten für mich drucken.«
Franziskas Wut verrauchte ein bisschen. »Da bin ich ja gespannt!«
»Und ich erst«, sagte Kim. »Falls du Hilfe brauchst, ein Anruf genügt! Ich kenne mich ganz gut aus mit Grafikprogrammen.«
Marie nickte. »Danke.« Dann krempelte sie die Ärmel ihres Pullis hoch. »Also, was kann ich tun?«
Kim und Franziska zeigten ihr den Schuppen. Obwohl sie schon einen Teil des Gerümpels weggeräumt hatten, sah es

immer noch ziemlich chaotisch aus. An der linken Wand stand die Kutsche, und nur wenn man genau hinsah, konnte man erkennen, dass sie früher mal blau gewesen sein musste. Davor türmten sich alte Stühle, kaputte Elektrogeräte, Sessel, Zeitungen und Kleider unter einer dicken Schicht Staub und Spinnweben.

Plötzlich wurde der Staub aufgewirbelt und eine gebückte Gestalt mit einem Sessel auf den Schultern bewegte sich auf Marie zu.

Erst nach ein paar Sekunden erkannte sie, wer sich hinter der Staubwolke verbarg. »Hallo, Michi!«, begrüßte sie den Freund.

»Hallo, Marie!«, antwortete Michi. »Gehst du mal aus dem Weg? Das Ding hier ist verdammt schwer.«

Schnell sprang Marie zur Seite. Dann sah sie sich noch mal im Schuppen um und seufzte. Ausmisten hatte noch nie zu ihren Lieblingsbeschäftigungen gehört.

»Wo ist denn Stefan?«, fragte sie.

Franziska zuckte mit den Schultern. »In der Garage. Der bastelt noch an seinem alten Opel herum und versucht ihn startklar zu machen. Der Vergaser spinnt mal wieder.«

»Meinst du, er braucht Hilfe?«, fragte Marie hoffnungsvoll.

»Nein!«, rief Franziska. »*Wir* brauchen Hilfe. Los, pack endlich an!«

Marie blieb nichts anderes übrig. Sie zog sich dicke Gartenhandschuhe an, die sie extra mitgebracht hatte, um ihre Hände zu schonen, und schnappte sich einen kleinen Hocker, der nicht allzu schwer aussah.

»Sachen aus Holz kommen da auf den Stapel«, sagte Kim, als

Marie mit dem Hocker herauskam. »Ich hab mir aus dem Internet die Seite des Wertstoffhofs ausgedruckt. Da stand genau, welche Abfälle angenommen werden und wie man sie trennen muss.«
»Okay«, sagte Marie.
Zwei Stunden lang schufteten die drei !!! mit Michi, ohne sich zu unterhalten. Die Arbeit war einfach zu anstrengend.
»Ich kann nicht mehr!«, stöhnte Marie schließlich und ließ sich auf eine Matratze fallen.
Franziska stieß ihr in die Rippen. »He, keine Müdigkeit vorschützen!«
Sofort sprang Marie auf, streckte ihren Körper und strahlte. Verwundert riss Franziska die Augen auf, doch dann merkte sie, warum Marie auf einmal wie ausgewechselt war. Stefan kam von der Garage herüber, die Hände lässig in den viel zu weiten Hosen vergraben. Seine rötlich-braunen Haare waren noch verstrubbelter als sonst und um seinen Mund spielte ein charmantes Lächeln.
»Hi, Mädels!«, begrüßte er sie.
Maries Herz klopfte wie verrückt. Schnell zog sie ihre Gartenhandschuhe aus und warf möglichst verführerisch ihre blonden Haare nach hinten. »Hi, Stefan!«
»Das sieht ja richtig profimäßig aus«, sagte Stefan, während er die säuberlich getrennten Haufen musterte. »Mein Opel brummt auch wieder. Dann kann ich ja schon mal die erste Fuhre zum Wertstoffhof fahren.«
Marie schenkte Stefan ihren schönsten Augenaufschlag. »Soll ich dich begleiten? Zusammen geht es doch auf dem Wertstoffhof viel schneller.«

»Gern«, sagte Stefan.
Marie achtete nicht auf die genervten Blicke von Franziska und Kim. Kurz darauf hatten sie die ersten Sachen in den Wagen und auf den Dachgepäckträger geladen und Marie stieg mit tausend Schmetterlingen im Bauch ein.
»Bis später!«, rief sie und winkte den Freundinnen nach.
»Überanstreng dich nicht«, rief Franziska ihr hinterher.
Stefan drehte das Radio voll auf und sie bretterten zu harten Heavy-Metal-Beats über die Landstraße.
»Ich mach übrigens bei einem Musik-Casting mit«, brüllte Marie gegen die Lautstärke des Radios an.
Stefan brüllte zurück: »Toll! Wann kann man dich hören?«
»Weiß ich noch nicht. Ich muss mich erst mal anmelden«, antwortete Marie und bereute es sofort wieder, dass sie davon angefangen hatte. Schließlich waren es noch ungelegte Eier und ihr Vater hatte noch nicht mal zugestimmt.
»Dann viel Glück dabei«, rief Stefan und schwieg.
Den Rest der Fahrt war er nicht besonders gesprächig. Trotzdem genoss Marie jede Sekunde, die sie neben ihm saß, und sah immer wieder unauffällig zu ihm hinüber. Wie der Fahrtwind in seinen Locken spielte … Und sie konnte sogar den schwarzen Bartschatten an seinem Kinn sehen!

Während Marie mit Stefan zum Wertstoffhof fuhr, arbeiteten Franziska, Kim und Michi tapfer weiter. Kim war schon ziemlich erschöpft, versuchte sich aber vor Michi nichts anmerken zu lassen. Doch als Franziskas Mutter mit einem Picknickkorb um die Ecke bog, ließ sie sofort alles liegen und stehen.

»Ich hab mir gedacht, ihr könnt sicher eine Stärkung brauchen«, sagte Frau Winkler und schwenkte fröhlich den Korb. »Da sind Leberwurstbrote drin und Kuchen und Tee.«
»Tausend Dank!«, rief Kim.
»Die Pause haben wir uns aber jetzt echt verdient«, sagte Franziska.
»Wo ist denn Marie?«, fragte Frau Winkler.
Franziska grinste. »Mit Stefan unterwegs zum Wertstoffhof. Wir fangen schon mal ohne sie mit dem Picknick an.« Geschieht Marie ganz recht, dachte sie, wenn hinterher kaum noch was übrig ist!
Kim, Franziska und Michi gingen in den Obstgarten und breiteten eine Decke auf dem Gras aus. Alle drei stürzten sich hungrig auf die leckeren Sachen. Kim schob Michi dabei unauffällig die besten Bissen zu. Der mampfte drauflos und schien es gar nicht zu merken.
»Wie geht es denn deinem Bruder?«, fragte Kim, als sie den ersten Hunger gestillt hatte.
Michis Gesicht verdüsterte sich. »Nicht so gut. Frank weiß immer noch nicht, ob er ins Gefängnis muss. Zum Glück hat mein Vater ihm einen guten Anwalt organisiert, der hängt sich richtig rein.«
Kim nickte. »Das ist doch schon mal was«, versuchte sie Michi Mut zu machen.
»Hm«, sagte er und beugte sich über den Picknickkorb. Das Thema war ihm offenbar unangenehm.
Da steuerte plötzlich ein hinkendes, leicht zerrupftes Huhn auf sie zu.
»Darf ich vorstellen?«, sagte Franziska. »Das ist meine Polly.«

Das Huhn schmiegte sich an Franziska und guckte sie erwartungsvoll mit seinen starren Knopfaugen an.
Kim brach eine Ecke von ihrem Brot ab. »Mag Polly Leberwurst?«
Franziska schüttelte heftig den Kopf. »Gib Polly bloß kein normales Essen! Sie bekommt nur Würmer. Mal sehen, ob einer in der Nähe ist …«
Entsetzt beobachtete Kim, wie Franziska nach einem Spaten griff und in den Boden stach. Danach suchte sie in der Erde nach Würmern. Bald hatte sie einen gefunden und hielt ihn hoch. Kim verzog angeekelt das Gesicht, als sich der rosa Wurm unter Franziskas festem Griff hin und her wand. »Muss das sein?«, fragte sie und merkte, dass ihr bei dem Anblick flau im Magen wurde.
»Wieso?«, fragte Franziska. »Da ist doch nichts dabei. Komm, Polly, jetzt gibt's Fressi-Fressi!«
Michi fing an zu lachen. »Ist das abgefahren!«
Kim konnte gar nicht hinsehen, wie Polly ihren Hals reckte und nach dem Wurm schnappte. Franziska zog den Wurm zum Spaß ein paarmal wieder zurück, bevor sie ihn endlich dem Huhn überließ.
»Darf ich auch mal?«, rief Michi begeistert.
»Klar«, sagte Franziska und grinste ihn an.
Kims Herz zog sich zusammen. Flirtete Franziska etwa mit Michi?
Kurz darauf fand auch Michi einen Wurm. Franziska und er lachten sich halb kaputt, während Michi Polly damit fütterte. Da hielt es Kim nicht mehr aus. Sie sprang auf und rannte weg.

»Was ist denn los?«, rief Franziska ihr nach.
Kim reagierte nicht und rannte einfach weiter. Irgendwann bekam sie Seitenstechen und blieb stehen. Ohne es zu merken, war sie zur Koppel gelaufen. Mit sanften, braunen Augen blickte ihr ein schwarzes Pony entgegen.
»Du bist bestimmt Tinka«, sagte Kim und streckte vorsichtig die Hand aus.
Das Pony schnaubte und beschnupperte ausgiebig Kims Hand. Das kitzelte.
Kim musste lachen. »Du frisst zum Glück keine Würmer!«
Als wollte sie es beweisen, senkte Tinka den Kopf und rupfte ein Büschel Gras aus.
»Was meinst du?«, murmelte Kim. »Flirtet Franzi mit Michi?«
Tinka guckte sie wieder nur mit ihren unergründlichen braunen Augen an.
»Führst du jetzt schon Selbstgespräche?«, fragte Franziska, die auf einmal neben Kim stand.
Kim wurde rot. »Nein. Mir war das nur zu viel mit den Würmern.«
»Ist doch nicht schlimm«, sagte Franziska. »Meine Schwester Chrissie ekelt sich auch total davor. Kommst du wieder zu uns? Michi hat schon nach dir gefragt.«
Da hellte sich Kims Gesicht auf. »Echt? Ich komme!«

Detektivtagebuch von Kim Jülich
Freitag, 20:13 Uhr
Die Schufterei hat sich gelohnt. Die drei !!! haben endlich ein Hauptquartier! Eine Woche lang haben wir fast jeden Nach-

mittag den Schuppen ausgemistet. Ich hab einen tierischen Muskelkater in den Armen und überall blaue Flecke, aber das war es wert. Am Schluss haben wir auch noch die Kutsche blau angemalt, mit lauter bunten Ausrufezeichen drauf. Das sieht richtig klasse aus. Der Schuppen ist auch total schön geworden. Franzis Mutter hat uns extra Gardinen genäht und von den alten Möbeln konnten wir einen Tisch und drei Stühle, die nicht kaputt waren, für uns abzweigen. Und das Beste ist: Franzis Vater hat uns aus seiner Tierarztpraxis einen silbernen Bürocontainer mit ganz vielen Schubladen geschenkt. Die oberste Schublade kann man sogar absperren. Da werden wir jetzt immer unsere geheimen Detektiv-Dokumente aufbewahren.
Das Einzige, was Franzi und mich echt genervt hat, war Maries Unpünktlichkeit. Jedes Mal kam sie zu spät, und wenn nicht gerade »ihr« Stefan in der Nähe war, hat sie nur halbherzig mitgearbeitet und war mit den Gedanken ständig bei ihrem blöden Casting. Am Anfang hab ich mich ja noch für sie gefreut, vor allem, als ihr Vater ihr erlaubt hat mitzumachen. Doch langsam geht mir das Casting-Getue ganz schön auf den Geist. Wie soll denn das erst bei unserem nächsten Fall werden? Da brauchen wir von jedem volle Konzentration! Falls wir überhaupt einen an Land ziehen … Wir haben uns zwar darauf geeinigt, dass jeder Augen und Ohren offen hält und es den anderen sofort sagt, falls er etwas Verdächtiges in seiner Umgebung entdeckt, aber bei Marie hab ich da meine Zweifel. Neben dem Casting hat sie jetzt nämlich auch noch was anderes im Kopf: Ihr Vater organisiert morgen mal wieder eine seiner legendären VIP-Partys und sie darf zum ersten Mal dabei sein. Da kommen jede Menge Schauspieler und Promis. Marie hat uns versichert,

dass es in der Schauspielbranche ständig jede Menge Intrigen und Betrügereien gäbe und dass sie extra gut aufpassen würde. Ich glaube nicht wirklich daran, dass ausgerechnet Marie uns einen neuen Fall verschafft. Die würde es wahrscheinlich nicht mal merken, wenn einer dieser attraktiven, ständig verschuldeten Schauspieler sie ausrauben würde.
Um gute Stimmung zu machen, hat sie übrigens gestern die Visitenkarten gebracht, gleich einen ganzen Stapel. Das Logo ist toll geworden. Marie hat es ganz ohne meine Hilfe hinbekommen. Ein bisschen enttäuscht bin ich zwar schon, dass sie mich nicht gefragt hat. Das hätte mir sicher total Spaß gemacht. Aber egal, was zählt, ist das Ergebnis. Und das kann sich wirklich sehen lassen!
Das ist unsere Visitenkarte:

Geheimes Tagebuch von Kim Jülich
Freitag, 21:01 Uhr
Warnung: Lesen für Unbefugte (alle außer Kim Jülich) streng verboten!
Heute beginne ich ein neues Tagebuch. Ich brauche einfach ein Extra-Tagebuch, in das ich meine geheimsten Gefühle hineinschreiben kann. Dieses Tagebuch dürfen nicht mal Marie und Franziska lesen, obwohl ich sonst alles mit ihnen besprechen kann.
Also, das Wichtigste zuerst: Ich hab mich verknallt! Das erste Mal so richtig. Wer es ist? Michi Millbrandt! Schon als ich ihn mir damals für die Personenbeschreibung eingeprägt habe, fand ich ihn süß: sechzehn Jahre, mittelgroß, dunkelbraune Haare, Strähnen, die ihm ins Gesicht fallen, jede Menge Sommersprossen auf der Nase. Und dann noch dieses Lächeln! Das haut mich jedes Mal um. Ganz kurz dachte ich, Franzi flirtet mit ihm, aber das war sicher keine Absicht. Und Michi ist zu ihr genauso normal wie zu mir.
Ach, wenn er doch auch mehr für mich empfinden würde! Aber das kann ich nicht erzwingen. Seufz!

Überraschung auf der Party

Marie sah zum zwanzigsten Mal innerhalb einer Minute in den Spiegel und zupfte an ihren blonden Haaren, die sie sich heute hochgesteckt hatte. So kamen die silbernen Ohrringe besser zur Geltung, die ihr Vater ihr zusammen mit dem türkisfarbenen Paillettenkleid geschenkt hatte.
Da steckte Herr Grevenbroich den Kopf zur Tür herein. »Na, bist du fertig? Die ersten Gäste sind schon da. Wow! Du siehst toll aus, wie eine Prinzessin aus Tausendundeiner Nacht!«
Marie lief auf ihren Vater zu und fiel ihm um den Hals. »Ich bin so schrecklich aufgeregt.« Normalerweise machte es ihr gar nichts aus, mit fremden Leuten zu quatschen, aber so viele Promis wie heute hatte sie noch nie auf einmal getroffen.
»Das wird ein wunderbarer Abend«, sagte ihr Vater. »Das sind alles gute Freunde von mir. Sie freuen sich riesig dich endlich kennenzulernen.«
Marie hakte sich bei ihm unter. »Okay, von mir aus kann's losgehen!«
Helmut Grevenbroich führte seine Tochter ins Wohnzimmer. Marie spürte die neugierigen Blicke der Gäste. Jetzt bloß nicht mit den Sandaletten umknicken!, dachte sie. Nach den ersten Metern wurde sie sicherer und atmete auf. Geschafft!
»Darf ich vorstellen?«, sagte ihr Vater. »Das ist meine bezaubernde Tochter Marie und das ist der neue *Tatort*-Kommissar.«

Der Kommissar schenkte Marie sein charmantes Lächeln, mit dem er gleich zehn Jahre jünger aussah. »Guten Abend, Marie. Tolles Kleid!«
Marie wurde rot und brachte außer »Danke!« kein Wort heraus.
Doch schon ein paar Minuten später, als sie bereits viele Promi-Hände geschüttelt hatte und alle ganz normal und total nett zu ihr gewesen waren, wurde sie wieder locker.
Ihr Vater brachte ihr ein Glas Orangensaft. Marie nippte daran, ging hinüber zum Bar-Pianisten und lehnte sich gegen den Flügel. Der Pianist spielte weiter und lächelte ihr dabei zu. Marie kam sich richtig cool vor. Unauffällig sah sie sich um. Das Wohnzimmer hatte sich inzwischen gefüllt. Marie lauschte dem angeregten Plaudern und Lachen, das so leicht dahinperlte wie der Prosecco in den Gläsern der Gäste. Alle waren gut gelaunt und entspannt. Doch da blieb Maries Blick an einem Paar hängen, das offensichtlich gar nicht entspannt war – im Gegenteil: Die beiden redeten wild gestikulierend aufeinander ein und schienen sich zu streiten. Besonders der Mann war sauer und wurde langsam laut. Sofort witterte Marie einen neuen Fall für die drei !!! und prägte sich die beiden Personen gut ein. Der Mann war sehr groß, Mitte dreißig, hatte einen kleinen Bauchansatz und die langen, schwarzen Haare mit Gel nach hinten gekämmt. Die Frau war jünger, wahrscheinlich Ende zwanzig, zierlich, sehr schlank, hatte dunkelblonde Haare und strahlend blaue Augen mit langen Wimpern.
In dem Moment ging Herr Grevenbroich auf die beiden zu. Anscheinend wollte er dafür sorgen, dass sie nicht die locke-

re Partystimmung verdarben. Tatsächlich hörten sie auf zu streiten. Herr Grevenbroich klopfte dem Mann auf die Schulter und lotste ihn von der Frau weg hinüber zu Marie. »Ich hab dir eine Überraschung mitgebracht«, sagte er zu seiner Tochter. »Das ist Michael Martens, der Geschäftsführer vom Plattenlabel *Youth.* Michael ist auch in der Jury der Castingshow von *Afternoon.*« Ungläubig starrte sie Michael an. »Sie sind echt in der Jury?«

»Ich lass euch dann mal allein.« Marie merkte gar nicht, dass ihr Vater wegging.

Michael Martens nickte. »Ja, echt. Dein Vater hat mir erzählt, dass du auch beim Casting mitmachst?«

»Stimmt«, sagte Marie und sprudelte heraus: »Ich hab mich schon angemeldet. Wann bekomme ich denn Bescheid, ob ich vorsingen darf? Und wann geht's los? Muss ich irgendwas mitbringen? Wie viele Runden gibt es bis zur Entscheidung? Und können Sie mir sagen, wie das dann so abläuft?«

Michael Martens lächelte. »Du willst aber viel auf einmal wissen. Zuerst mal: Du kannst Du zu mir sagen, ich heiße Michael. Sonst komme ich mir immer so alt vor! Also, du müsstest bis Montag Bescheid bekommen. Die erste Vorrunde startet schon am Mittwoch. Mitbringen musst du nur Spaß am Singen. Was wolltest du noch wissen? Ach ja, wie viele Castingrunden es gibt. Wir haben uns in der Jury geeinigt, drei Runden bis zur Endausscheidung zu machen. Und was den Ablauf angeht, das kannst du ganz relaxed auf dich zukommen lassen. Das sagen wir dir schon noch rechtzeitig, bevor es losgeht.«

Marie speicherte die Infos blitzschnell in ihrem Gehirn ab.

Dann fiel ihr noch etwas ein. »Und wer ist noch alles in der Jury?«
Michael deutete mit einem Kopfnicken hinüber zu der Frau, mit der er sich vorher gestritten hatte. »Terry ist dabei, die kennst du sicher aus dem Radio, sie moderiert jeden Freitag die Charts. Und die Dritte in der Jury ist Sue von *Afternoon*.«
»Abgefahren!«, sagte Marie. Das war ja ein richtiges Staraufgebot.
Michael trat von einem Bein auf das andere. »Da drüben wartet ein Freund von mir. Ich muss ...«
»Warten Sie ... äh ... warte doch noch!«, hielt Marie ihn zurück. »Kannst du mir ein paar Tipps geben fürs Casting?«
»Tipps?« Michael war auf einmal gar nicht mehr so freundlich. »Was meinst du damit?«
»Na ja«, sagte Marie, »es gibt doch sicher irgendwelche Tricks, mit denen man die Jury beeindrucken kann.«
Da wurde Michael ernst. »Es gibt keine Tricks! Jede Bewerberin hat die gleichen Chancen.«
Marie zuckte zusammen. »Entschuldige! Das hast du falsch verstanden! Ich wollte mich nicht ...«
Aber da war Michael schon weg.
»Mist!«, murmelte Marie. Das hatte sie ja toll hingekriegt. Jetzt dachte er sicher, sie wäre eine dieser blöden Tussis, die sich bei ihm einschleimen wollten. Dabei war das gar nicht ihre Absicht gewesen. Es war ihr einfach nur so herausgerutscht. Tricks hatte sie sowieso nicht nötig.
Damit war der Abend für Marie gelaufen. Sie machte zwar noch ein bisschen Small Talk mit dem *Tatort*-Kommissar und ein paar Kollegen ihres Vaters, doch der Spaß war ihr

vergangen. Deshalb war sie sogar froh, als ihr Vater sie um zwölf ins Bett schickte. Bevor sie in ihr Zimmer ging, warf sie noch einen letzten Blick zu Michael Martens hinüber, aber der war völlig in ein Gespräch mit dem Bar-Pianisten vertieft, der gerade eine kleine Pause machte. Terry war nirgends zu sehen. Wahrscheinlich hatte sie auch keine Lust mehr auf Party nach dem Streit mit Michael. Warum sich die beiden gestritten hatten? Sie würde es wohl nie erfahren … Seufzend zog sich Marie in ihr Zimmer zurück und wälzte sich noch lange im Bett herum, bevor sie einschlafen konnte.

Am nächsten Morgen wachte sie vom Klingelton ihres Handys auf. Kim hatte eine Nachricht geschickt:

Wie war's gestern? Hast du einen neuen Fall für die drei !!!? Kim

Marie beschloss nichts von ihrem Ausrutscher gegenüber Michael Martens zu erzählen, das war ihr immer noch total peinlich.

Die Party war toll. Ich hab zwei Juryleute vom Casting getroffen. Die haben sich wegen irgendwas gestritten, aber ich glaub nicht, dass das ein neuer Fall wird.

Schade. Bei mir gibt's leider auch nichts Neues. Am Dienstag um fünf Clubtreffen bei Franzi?

Alles klar, simste Marie zurück und schaltete ihr Handy aus.

Am Dienstag in der Schule konnte sich Marie kaum konzentrieren. Unter der Bank tastete sie immer wieder nach dem Brief der Jury. Sie durfte vorsingen, in drei Tagen schon. Und das war kein Traum, es war Wirklichkeit! Am liebsten hätte sie bis dahin die Schule geschwänzt und sich Tag und Nacht auf das Casting vorbereitet, aber das hätte ihr Vater natürlich nie erlaubt. Seufzend sah sich Marie im Klassenzimmer um. Fast alle ihrer Mitschülerinnen waren ebenfalls im Castingfieber und die, die nicht mitmachen wollten, tuschelten mit den anderen, um auch ja alle Neuigkeiten zu erfahren. Frau Gernot, die Deutschlehrerin, gab es nach mehreren Versuchen, den Geräuschpegel zu senken, auf und unterrichtete einfach mit lauter Stimme weiter.

Sobald es zur Pause klingelte, stürmten alle ins Freie. Marie wollte gerade zu ihrer Clique, die ihren Stammplatz bei der Bank vor der Sporthalle hatte, da prallte sie mit Ramona zusammen, einem Mädchen aus der Neunten. Ramona kannte jeder an der Schule. Sie war die Leadsängerin der Schülerband und konnte wahnsinnig gut singen. Sie sah auch wahnsinnig gut aus, hatte schwarze, raspelkurze Haare und wunderschöne, mandelförmig geschnittene Augen.

Ramona schwenkte ein Blatt Papier in der Hand, das prompt auf den Boden flatterte.

»Mist!«, rief sie.

Schnell bückte sich Marie danach. »Tut mir leid, ich hab dich nicht kommen sehen.«

Ramona musterte Marie. »Halb so wild.«

Marie warf einen Blick auf das Papier und erkannte sofort das Logo von *Afternoon*. »Du hast dich auch beworben?«

»Klar«, sagte Ramona, »und ich darf vorsingen bei der ersten Runde, am Freitag.«
Marie lachte. »Ich auch!«
»Gratuliere!«, sagte Ramona. »Hast du auch so Schiss vor der Jury? Hoffentlich sind die nicht so hart drauf wie Dieter Bohlen!«
»Glaub ich kaum«, antwortete Marie. »Michael Martens scheint jedenfalls ganz in Ordnung zu sein.«
»Du kennst Michael Martens?«, fragte Ramona.
Marie warf ihre Haare zurück. »Ja, ich hab ihn gestern auf der Party meines Vaters getroffen.«
»Cool!«, rief Ramona. »Das musst du mir unbedingt genauer erzählen. Komm!« Sie hakte sich bei Marie unter und zog sie hinüber zum Pausenhof.
Aus den Augenwinkeln registrierte Marie, dass die Mädchen aus ihrer Clique ihr neidisch hinterherguckten. Ramona redete nicht mit jedem, sie hatte viel mehr Fans als Marie und außerdem war sie schon fünfzehn. Marie genoss es, dass Ramona sich für sie interessierte, und erzählte ihr alles, was sie wissen wollte.
Die Pause verging wie im Flug, und als der Gong ertönte, sagte Ramona: »Hast du Lust, heute Nachmittag zu mir zu kommen? Da können wir weiterquatschen.«
»Heute Nachmittag?« Marie fiel das Clubtreffen ein. Ach was! Die anderen würden auch mal ohne sie zurechtkommen, die drei !!! hatten ja im Moment sowieso keinen Fall.
»Okay«, sagte Marie. »Wo wohnst du? Und wann soll ich da sein?«

Marie war zu früh dran und drehte noch eine Runde um den Block, bevor sie bei Ramona klingelte. Die Sängerin wohnte bei ihr um die Ecke in einem frei stehenden Neubauhaus. Eine sorgfältig gestylte und geschminkte Frau um die vierzig machte auf. »Hallo, du musst Marie sein. Ich bin Frau Freiberg, Ramonas Mutter.«
»Hallo, Frau Freiberg!«, sagte Marie.
Da kam auch schon Ramona die Treppe herunter. »Hi, Marie!« Sie begrüßte sie mit Küsschen auf die Wangen, als ob sie sich schon ewig kennen würden.
»Komm rein«, sagte Frau Freiberg. »Wie wär's mit Apfelkuchen?«
Marie nickte. »Gern.«
Ramonas Mutter hatte in der Wohnküche für drei Personen gedeckt. Marie war enttäuscht. Hoffentlich würde die Mutter nicht die ganze Zeit dabei sein. Sie wollte doch ungestört mit Ramona quatschen.
Doch Frau Freiberg machte keinerlei Anstalten, ihre Tochter mit der neuen Freundin alleine zu lassen.
»Ich *liebe* deinen Vater!«, fing sie an zu schwärmen. »Natürlich nicht ihn selbst, sondern in seiner Rolle als Hauptkommissar Brockmeier. Er ist einfach genial!«
»Danke«, sagte Marie.
Frau Freiberg lud ihr lächelnd ein Stück Kuchen auf den Teller. »Du hast bestimmt viel von ihm geerbt. Ramona hat erzählt, du nimmst schon länger Gesangsstunden und bist in der Theater-AG?«
»Ja, das stimmt«, sagte Marie und fand Ramonas Mutter auf einmal ganz nett.

Frau Freiberg plauderte weiter: »Du singst auch beim Casting vor? Da wünsche ich dir ganz, ganz viel Glück. Die Konkurrenz ist enorm, aber du hast sicher große Chancen. Und meine Ramona auch.«
»Mama!«, rief Ramona, der es sichtlich peinlich war, von ihrer Mutter gelobt zu werden.
»Das stimmt doch«, beharrte Frau Freiberg. »Du bist gut, Schatz. Seit du sechs bist, hast du ununterbrochen hart an dir gearbeitet, hast Gesangs- und Tanzstunden genommen und mit deiner Band auch schon viel Bühnenerfahrung gesammelt. Von den vier Wochen, die wir dieses Jahr in den Sommerferien zusammen auf dem Solosänger-Coaching in London waren, will ich gar nicht reden.«
Marie blieb der Bissen, den sie gerade genommen hatte, im Hals stecken. So viel hatte Ramona schon gemacht? Da konnte sie wirklich nicht mithalten.
»Hör endlich auf, Mama!«, sagte Ramona. »Marie singt sicher genauso gut wie ich. Du, stell dir vor, sie kennt übrigens Michael Martens!«
»Wirklich?« Frau Freiberg strahlte Marie an. »Woher kennst du ihn und wo hast du ihn getroffen?«
Marie erzählte noch mal ausführlich von der Party am Samstag. Jetzt, beim zweiten Mal, schmückte sie die Geschichte noch mehr aus und erwähnte natürlich mit keiner einzigen Silbe, wie sie sich danebenbenommen hatte und wie Michael sie hatte abblitzen lassen.
»Er hat sich total viel Zeit für mich genommen«, sagte sie am Schluss, »und alle meine Fragen geduldig beantwortet.«
Frau Freiberg nickte ihrer Tochter zu. »Hab ich's dir nicht

gleich gesagt, Ramona? Dieser Mann ist ein Profi. Nur echte Profis sind so nett und unkompliziert. Wenn du genauso nett und locker zu ihm bist, kann eigentlich gar nichts schiefgehen.«

»Mama …«, sagte Ramona.

Ihre Mutter wandte sich wieder Marie zu. »Und, hat er dir auch noch ein paar Tipps gegeben, wie du am besten deine Performance machst?«

Marie biss sich auf die Lippen um nicht rot zu werden. »Nein, das hat er nicht. Er hat gemeint, jede Bewerberin hat die gleichen Chancen.«

»Ach ja?« Um die Lippen von Frau Freiberg spielte ein kleines Lächeln. »Ich denke, das gilt nicht für alle. Ramona – und du natürlich! – ihr habt bessere Chancen.«

»Meinen Sie?«, fragte Marie geschmeichelt. Da fiel ihr plötzlich siedend heiß ein, dass sie vergessen hatte Kim und Franziska abzusagen. Die beiden waren sicher stinksauer auf sie. »Ich muss los«, sagte sie und stand auf.

»Bleib doch noch!«, sagte Ramona. »Wir können auch rauf in mein Zimmer gehen.«

Marie zögerte. »Heute geht es leider nicht. Aber ich ruf dich an, okay?«

»Okay«, sagte Ramona. »Und wenn du's nicht tust, ruf ich an. Ich bin hartnäckig, wenn es um neue Freunde geht!«

Marie wurde warm ums Herz. Ramona wollte ihre Freundin sein! Wenn ihr das jemand vor einer Woche erzählt hätte, hätte sie es nie und nimmer für möglich gehalten.

Lampenfieber

»Hier sind wir!«, rief Franziska. Hektisch winkend stand sie am Eingang des Hotels, in dem gleich die erste Runde des Castings stattfinden sollte.
Marie löste sich von Ramona, die sich gerade vor lauter Aufregung an ihren Arm geklammert hatte. »Ich seh euch!«
Kim spürte einen kleinen Stich in der Brust. Seit Marie Ramona kennengelernt hatte, schwärmte sie ständig von der neuen Freundin und erzählte nur noch von den gemeinsamen Treffen und Proben mit ihr. Kim fand es ja gut, dass Marie jemanden hatte, mit dem sie sich zusammen auf das Casting vorbereiten konnte, aber deswegen musste sie doch nicht gleich die drei !!! so vernachlässigen.
»Ich sterbe!«, rief Marie und fiel Kim um den Hals. Anscheinend hatte sie ihre alten Freundinnen doch noch nicht ganz vergessen.
»Das tust du nicht«, widersprach Kim. »Du gehst jetzt da ganz cool rein und singst die anderen Mädchen an die Wand.«
»Und wir feuern dich an«, sagte Franziska.
»Und wer feuert mich an?«, fragte Ramona.
Marie stupste sie an. »Ich natürlich – und deine Mutter.«
»Ja«, stöhnte Ramona. »Aber die ist noch viel aufgeregter als ich. Sie macht mich noch wahnsinnig!«
In dem Moment schoss Frau Freiberg aus dem Hotel und sah sich suchend um. »Wo bleibst du denn, Ramona? Ich hab dich gerade angemeldet.«

»Ich komm ja schon«, sagte Ramona und verschwand mit ihrer Mutter im Hotel.
Franziska und Kim hakten sich rechts und links bei Marie unter.
»Auf in den Kampf!«, rief Franziska.
Obwohl sie eigentlich mit diesen komischen Musik-Castings nichts anfangen konnte, hatte sie plötzlich der Sportsgeist gepackt. Sie wollte unbedingt, dass Marie gewann, und nicht ihre Schwester, die auch beim Casting mitmachte. Seit Chrissie sich dazu entschlossen hatte, war sie nämlich wieder unerträglich zickig.
Maries Knie fingen zu zittern an. Jetzt war es wirklich so weit. Wenn ihr Vater bloß da gewesen wäre, der kannte sich mit Lampenfieber aus! Aber der konnte seinen Dreh in der Fußgängerzone natürlich nicht einfach sausenlassen.
In der Lobby des Hotels war ein Höllenlärm. Eine Gruppe kreischender Mädchen lief wie lauter aufgescheuchte Hühner hin und her.
Kim reckte sich und versuchte sich einen Überblick zu verschaffen. »Da vorne ist die Anmeldung.«
Franziska setzte ihre Ellenbogen ein, um sich durch die Menschenmasse zu kämpfen. Marie folgte ihr zögernd. Zehn Minuten später kamen sie endlich dran.
»Wie heißt du?«, fragte die junge Frau hinter dem Tresen.
»… Marie Grevenbroich«, antwortete Marie und merkte, dass ihre Zunge am Gaumen klebte.
Die Frau hakte den Namen auf der Liste ab und gab Marie einen Zettel. »Da steht deine Startnummer drauf. Den Zettel musst du gut aufheben und vorzeigen, wenn dich jemand

danach fragt. Du kommst ungefähr in einer halben Stunde dran. Inzwischen kannst du dich warm singen in Probenraum drei. Der ist da drüben links.«
Marie nickte. Zusammen mit Franziska und Kim ging sie hinüber. An der Tür empfing sie eine Art Bodyguard. Marie zeigte ihre Nummer vor und er winkte sie durch. Doch als Franziska und Kim ihr folgen wollten, blockierte er die Tür.
»Hier dürfen nur die Künstler rein! Ihr könnt schon mal vor ins Studio gehen, da werdet ihr eure Freundin später hören.«
Marie seufzte. »Ich seh euch dann später im Studio.«
»Viel Glück!«, sagte Kim.
»Du schaffst das!«, sagte Franziska und hielt den rechten Daumen hoch.
Marie nickte tapfer, aber in Wirklichkeit wäre sie am liebsten davongelaufen. Wie war sie bloß auf die Schnapsidee gekommen, bei diesem Casting mitzumachen? Aber jetzt gab es kein Zurück mehr. Zögernd betrat sie den Probenraum. Das Zimmer war rappelvoll. Überall hatten sich die Mädchen ausgebreitet. Ein paar schminkten sich, ein paar sangen Tonleitern rauf und runter und der Rest hing mit flatternden Nerven am Handy. Marie guckte sich suchend um, aber sie konnte Ramona nicht entdecken. Wahrscheinlich war sie in einem anderen Probenraum gelandet. Maries Knie zitterten jetzt so stark, dass sie kaum noch stehen konnte.
Da ging die Tür auf und der Bodyguard rief: »Nummer zwanzig bis fünfundzwanzig: *It's showtime!*«
Sofort sprangen vier Mädchen auf und rannten zur Tür.
Marie blieb kurz das Herz stehen. Mit letzter Kraft ließ sie sich auf einen frei gewordenen Stuhl fallen. Mit zitternden

Fingern holte sie ihre Puderdose aus der Tasche und überprüfte das Make-up im Klappspiegel. Nichts war verwischt, alles schien perfekt zu sein. Wenigstens etwas!

»Leihst du mir mal deinen Puder?«, fragte ein Mädchen. »Meine Nase glänzt schon wieder so.«

»Ja, klar«, sagte Marie und drehte sich um. Das Mädchen war Chrissie. Sie hatte nicht nur eine glänzende Nase, sondern auch hektische rote Flecken auf den Wangen.

»Kleiner Tipp«, sagte Marie. »Die Wangen würde ich auch gleich mitpudern.«

»Was?«, rief Chrissie und guckte entsetzt in den großen Spiegel an der Wand. »Oh Gott!« Dann hüllte sie sich in eine Puderwolke ein und Marie bereute es sofort, dass sie Franziskas Schwester den Puder geliehen hatte.

»Danke«, sagte Chrissie endlich, knallte Marie die Puderdose hin und schwirrte ab.

Marie guckte auf ihre Armbanduhr. Noch fünfundzwanzig Minuten! Wie sollte sie das bloß durchstehen? Der Stresspegel im Probenraum potenzierte sich von Minute zu Minute. Als Marie schließlich kurz vor dem Nervenzusammenbruch war, nannte der Bodyguard endlich ihre Nummer. Wie in Trance stolperte sie den anderen drei Mädchen hinterher, die mit ihr aufgerufen worden waren. Der Bodyguard führte sie zu einem riesigen Konferenzraum, der in ein Studio verwandelt worden war. Überall standen Kameras herum und von der Decke strahlten grelle Scheinwerfer unbarmherzig auf sie herab. Die Zuschauer verschwanden hinter einem grauen Nebel. Marie kniff die Augen zusammen.

»Ihr seid gleich dran«, sagte eine Stimme, die ihr bekannt

vorkam. »Vor euch singen noch vier andere Mädchen. Wartet bitte so lange im Hintergrund.«
Als sich ihre Augen an das grelle Licht gewöhnt hatten, erkannte Marie die Stimme: Sie gehörte Michael Martens. Er saß an einem langen Tisch, eingerahmt von Terry und Sue. Vier Mädchen gingen jetzt auf den Tisch zu. Die Erste war Ramona! Marie versuchte ihr ein Zeichen zu geben, aber Ramona sah nicht her. Marie drückte ihrer Freundin so fest die Daumen, dass ihre Knöchel wehtaten.
»Stellt euch bitte erst mal vor und erzählt kurz, wie lange ihr schon singt und warum ihr das gerne tut«, sagte Terry. »Aber bitte erzählt uns keine ellenlangen Storys, die anderen wollen auch noch drankommen.«
Auf diese Frage hatte sich Marie mit Ramona gut vorbereitet. Mindestens zehnmal hatten sie sich gegenseitig ihre Argumente vorgesagt und daran gefeilt.
Ramona erzählte leicht stockend, dass sie schon mit sechs Jahren angefangen hätte Gesangs- und Tanzstunden zu nehmen und seit einem Jahr Leadsängerin in der Schülerband sei. Die Jury nickte beeindruckt. Dann fing Ramona an zu singen. Sie hatte sich *Perfekte Welle* von Juli ausgesucht und zu Hause auch immer perfekt gesungen. Marie war fast schon ein bisschen neidisch gewesen. Doch jetzt traute sie kaum ihren Ohren. Ramona verhaspelte sich bei der ersten Strophe und traf die Töne nicht gut. In den Refrain kam sie auch nicht richtig rein. Was war bloß mit ihr los?
Marie sah hinüber zu den Zuschauern. Da entdeckte sie Frau Freiberg in der ersten Reihe. Sie saß völlig aufgelöst auf ihrem Platz und hielt ein Transparent mit der Aufschrift *Du*

schaffst es, Ramona! Küsschen von Mama hoch. Na toll! Das hatte Ramona bestimmt gerade noch gefehlt. Ob sie deshalb so durch den Wind war?
Als Ramona zu Ende gesungen hatte und verzweifelt auf den Boden starrte, fing Marie sofort an zu klatschen. Das Publikum klatschte mit, aber der Beifall war nicht besonders laut. Marie drückte ihre Daumen noch fester.
»Danke, Ramona«, sagte Terry. »Das war eine gute Performance. In dir steckt sehr viel Power. Gratuliere, du bist eine Runde weiter!«
Ramona konnte es erst nicht glauben. »Ich bin weiter?«
»Ja«, sagte Terry und lachte. »Freu dich und hör noch kurz den anderen zu.«
Da fing Ramona an zu strahlen. Marie winkte ihr zu und Ramona winkte zurück.
Nach Ramona kamen zwei Schwestern dran, die hautenge Hotpants und bauchfreie rosa Glitzershirts trugen. Beinahe hätte Marie sie nicht erkannt, denn ihre Gesichter waren durch mehrere Zentimeter Schminke gut getarnt. Jette und Julia Ternieden gingen in Maries Parallelklasse und Marie war heilfroh, dass sie ihr hohles Geschwätz nur ab und zu in den Pausen ertragen musste. Als sie mit einem Duett losschmetterten, hielt sich Marie kurz die Ohren zu, so schräg sangen die beiden. Dabei wackelten sie auch noch die ganze Zeit mit ihren Hintern falsch zum Takt dazu.
»Danke, Jette und Julia«, sagte Sue. Dann steckte die Jury die Köpfe zusammen und diskutierte heftig.
Michael Martens grinste. »Ihr seht toll aus, aber gesangstechnisch müsst ihr noch ein bisschen aufholen.«

»Trotzdem geben wir euch eine Chance«, sagte Terry. »Nutzt sie und arbeitet an euch. Ihr seid eine Runde weiter. Glückwunsch!«
Marie tauschte einen verständnislosen Blick mit Ramona. Hatte die Jury Tomaten auf den Ohren? Die konnten doch nicht jemanden durchwinken, der so grottenschlecht war! Andererseits – wenn das Niveau hier so niedrig war, brauchte sie sich echt keine Sorgen mehr zu machen!
Als Marie schließlich drankam, war ihr Lampenfieber wie weggeblasen. Eine tiefe Ruhe breitete sich in ihrem Körper aus. Sie atmete tief durch und begann zu erzählen: »Ich heiße Marie und bin vierzehn Jahre alt. Ich hab eigentlich schon immer gesungen, schon als Kind im Sandkasten.« Die Jury lächelte und Marie redete weiter: »Seit drei Jahren nehme ich Gesangsstunden. Daneben hab ich Schauspielunterricht, um meine Bühnenpräsenz zu verbessern. Ich will später unbedingt Sängerin werden. Singen ist mein Leben!«
»Danke, Marie«, sagte Sue.
Nachdem sich die anderen drei Mädchen auch vorgestellt hatten, fragte Michael: »Marie, welches Lied hast du uns mitgebracht?«
»*Hungriges Herz* von Mia«, antwortete Marie.
»Schön«, sagte Michael Martens. »Das ist mal was anderes als dauernd *My heart will go on.*«
Terry und Sue lachten. Danach wurde es still im Raum.
Marie schloss die Augen und stellte sich den ersten Ton und das Tempo vor, in dem sie anfangen wollte. Dann sang sie los: »Dein zuckersüßer roter Mund lutscht alle Worte kugelrund …« Von der ersten Note an hatte sie ein gutes Gefühl.

Die erste Strophe lief glatt und sie wurde immer sicherer. Spätestens beim Refrain hatte sie die Jury, die Kameras und das Publikum völlig vergessen. Sie dachte an Stefan und dass er sie wahrscheinlich nie lieben würde, und legte all ihre Sehnsucht in die Zeile: »Mein hungriges Herz beschwert ein bittersüßer Schmerz.« Ohne ein einziges Mal hängenzubleiben, sang sie das Lied bis zum Ende durch.
Als der letzte Ton verklungen war, war es wieder still im Raum. Doch dann klatschte das Publikum begeistert los. Und Marie hörte Franziska und Kim sofort heraus.
»Ma-rie, Ma-rie, Ma-rie!«, brüllten sie im Sprechchor.
Marie verbeugte sich und guckte ängstlich in die Gesichter der Jury.
Die steckten wieder kurz die Köpfe zusammen. Dann räusperte sich Terry. »Du hast eine schöne Stimme, Marie, und dein Ausdruck ist auch gut. Trotzdem können wir dich leider nicht nehmen.«
Marie kam es vor, als würde der Boden unter ihren Beinen wegsacken. »Warum nicht?«, fragte sie.
Terry zögerte. »Du bist … du hast sehr großes Lampenfieber gehabt, nicht wahr?«
Marie nickte. »Ja, schon, aber nur vorher …«
»Siehst du«, sagte Terry. »Das hab ich gleich gemerkt. Deine Hände haben gezittert.«
»Wirklich?«, fragte Marie.
»Wir haben keine Zeit mehr«, sagte Terry ungeduldig. »Du kannst gehen, Marie. Die Nächste, bitte!«
Marie konnte es nicht fassen. Erst als Michael Martens ihr ein Zeichen gab, das Studio zu verlassen, stolperte sie los.

Wo war bloß der Ausgang? Ihre Augen brannten. Sie konnte gerade noch die Tür hinter sich zumachen, da kamen auch schon die Tränen. Schluchzend lehnte sie sich an eine Wand und rutschte langsam nach unten. Das war nicht wahr, das konnte nicht wahr sein!

Plötzlich spürte sie eine warme Hand auf ihrer Schulter. »Marie, das war total gemein!«, sagte Kim und hielt ihr ein Papiertaschentuch hin.

»Die haben dich echt nicht verdient«, sagte Franziska. »Du warst richtig gut. Und deine Hände haben überhaupt nicht gezittert. Ich hab genau hingesehen.«

Marie schniefte in Kims Taschentuch. »Ich kann mich leider nicht mehr erinnern, ich weiß nur, dass beim Singen mein Lampenfieber weg war. Ich war total entspannt.«

»Das hat man auch gemerkt«, sagte Kim. »Ich hab dich übrigens auch genau beobachtet. Deine Hände haben wirklich nicht gezittert. Diese Terry muss was an den Augen haben.«

»Das nützt mir alles nichts«, sagte Marie, »ich bin draußen.«

Franziska ballte die Fäuste. »Das werden wir noch sehen. Wenn du willst, knöpf ich mir diese Terry mal vor.«

»Nein, bitte nicht!«, rief Marie. »Das wär doch total peinlich.«

Kim setzte sich neben Marie auf den Boden, aber Franziska blieb stehen. »Du willst dir doch diese Ungerechtigkeit nicht einfach gefallen lassen?«, empörte sie sich. »Diese unterbelichteten Schwestern haben sie genommen und dich nicht? Da ist doch was faul!«

Marie zuckte mit den Schultern. »Ich weiß nicht. Vielleicht bin ich ja doch einfach nicht gut genug …«

»So ein Quatsch«, sagte Kim. »Wir waren schon vor dir im Studio und haben viele Mädchen singen hören. Keine war so gut wie du!«
»Ja, genau«, sagte Franziska. »Nicht mal deine Freundin Ramona, die hatte heute eindeutig einen schlechten Tag. Warum sie trotzdem genommen wurde und du nicht, will einfach nicht in meinen Schädel.«
»Sie haben eben erkannt, dass sie mehr draufhat«, sagte Marie und schnäuzte sich wieder. Warum quälten Franziska und Kim sie? Sie machten die Sache nur noch schlimmer.
In dem Moment stürmte Chrissie völlig aufgelöst aus dem Studio.
Franziska passte ihre Schwester ab. »Und, wie war's?«
»Frag nicht so blöd!«, zischte Chrissie und machte sich fluchtartig aus dem Staub.
Franziska seufzte. »Auch durchgefallen! Bei ihr wundert mich das, ehrlich gesagt, überhaupt nicht. Chrissie hat sich noch nie fürs Singen interessiert, erst seit dem Casting-Aufruf hat sie sich plötzlich in den Kopf gesetzt, ein Star zu werden.«
Da kamen Ramona und Frau Freiberg aus dem Studio. Ramona strahlte immer noch über das ganze Gesicht und ihre Mutter tat so, als sei sie selber der eigentliche Star des Tages.
»Hey, Marie!«, rief Ramona und lief zu der Freundin. »Es tut mir so leid, dass sie dich nicht genommen haben! Wie geht es dir?«
Franziska baute sich vor Marie auf und blaffte Ramona an: »Schlecht geht es ihr, das siehst du doch.«

Marie schob Franziska weg. »Lass das! Ich kann selber reden.« Entschlossen schluckte sie die letzten Tränen hinunter. Sie wollte sich vor Ramona keine Blöße geben. »Ich bin okay. Herzlichen Glückwunsch! Ich freu mich für dich, du bist drin.«
»Danke!«, sagte Ramona.
Ihre Mutter legte stolz den Arm um sie. »Als du uns damals erzählt hast, wie nett Michael Martens ist, wusste ich gleich, dass es klappt!« Dann lächelte sie Marie aufmunternd zu. »Das nächste Mal hast du sicher mehr Glück.«
Marie nickte, obwohl sie sicher war, dass es kein nächstes Mal geben würde.
Nach einer peinlichen Schweigeminute sagte Frau Freiberg: »Also dann, man sieht sich.«
»Bis bald!« Ramona lief am Arm ihrer Mutter davon.
Marie sah den beiden nach und spürte, wie ihr schon wieder Tränen in die Augen stiegen.
Franziska schüttelte langsam den Kopf. »Wisst ihr was? Das Ganze hier stinkt zum Himmel. Das Casting wird doch manipuliert. Und was hat Ramonas Mutter da gerade von Michael Martens gefaselt?«
Marie erzählte ihr, dass Frau Freiberg sich brennend für den Geschäftsführer interessiert und ihr Löcher in den Bauch gefragt hatte.
»Sehr verdächtig«, sagte Franziska. »Und gerade hat sie gemeint, sie *wusste*, dass es klappt. Warum war sie sich vorher schon so sicher? Hört mal: Könnte es nicht sein, dass sie Michael Martens bestochen hat? Dass sie ihm Geld gegeben hat, damit Ramona in die nächste Runde kommt?«

»Spinnst du?«, rief Marie.
Kim sah Franziska verblüfft an und kombinierte noch mal deren Argumente. »Ich finde, Franzi hat Recht. Ramonas Mutter hat sich ziemlich verdächtig gemacht. Wir sollten der Sache auf jeden Fall nachgehen.«
Marie schüttelte den Kopf. »Da mach ich nicht mit. Ramona ist meine Freundin! Und ihre Mutter mag zwar ehrgeizig sein, aber ansonsten ist sie echt in Ordnung.«
»So gut kennst du sie doch gar nicht«, warf Franziska ein.
»Stimmt«, sagte Kim. »Ich spür's in meinem kleinen Zeh: Wir haben einen neuen Fall! Lasst uns gleich am Montag Ramonas Mutter beschatten.«
Marie verschränkte die Arme vor der Brust. »Ohne mich!«

Eine heiße Spur

»Da ist sie!«, flüsterte Kim.
Franziska schnappte sich Kims Fernglas. »Na endlich!«
Zwei Stunden kauerten sie jetzt schon auf ihrem Beobachtungsposten vor dem Haus von Frau Freiberg. Aber das Warten im Novembernieselregen auf feuchtem Boden hinter der hohen Buchshecke hatte sich gelohnt.
Ramonas Mutter warf schwungvoll die Haustür hinter sich zu und lief über den kleinen Fußweg zur Straße.
»Wir haben Glück«, zischte Kim. »Sie geht zu Fuß.«
»Ein Wunder, so wie sie sich aufgebrezelt hat«, zischte Franziska zurück.
Frau Freiberg trug trotz nasskalten Herbstwetters ein elegantes lilafarbenes Kostüm mit kurzem Rock und Pumps.
Kim zückte ihr Detektivtagebuch und kritzelte schnell hinein: *15:34 Uhr. Frau F. verlässt das Haus in Richtung Innenstadt. Genaueres Ziel: noch unklar.*
Dann standen Franziska und Kim auf und rieben sich die schmerzenden Knie. Ihre Fahrräder, die sie in einem Busch versteckt hatten, ließen sie einfach liegen. Die würde keiner so schnell finden.
»Es geht los!«, flüsterte Franziska.
Die beiden verfolgten Frau Freiberg so unauffällig wie möglich. Zum Glück kannten sie sich in dem noblen Viertel gut aus, weil Marie gleich um die Ecke wohnte. Und zum Glück gab es jede Menge alter Bäume, hinter denen sie sich verstecken konnten.

Als sie an Maries Haus vorbeikamen, seufzte Kim leise. Was ihre Freundin jetzt wohl machte? Gemeinsam mit Franziska hatte sie gestern alles versucht, um Marie zu überreden, bei der Verfolgung mitzumachen – vergeblich. Marie war nach wie vor davon überzeugt, dass Ramonas Mutter unschuldig war. Und außerdem war sie wegen des Castings so fertig, dass sie nichts von einem neuen Fall wissen wollte.
Da zerrte Franziska an Kims Anorakärmel und riss sie aus ihren Gedanken. »Stopp!«
Kim zuckte zusammen. Beinahe wäre sie Frau Freiberg direkt in die Arme gelaufen. Ramonas Mutter war plötzlich an einer Straßenecke stehen geblieben.
Franziska und Kim verschanzten sich hinter einem Kiosk und studierten scheinbar interessiert die Tageszeitungen.
»Was macht sie?«, flüsterte Kim.
Franziska lugte um die Ecke. »Sie geht zum Geldautomaten.«
»Wetten, sie hebt Bestechungsgeld ab?«, raunte Kim.
»Gut möglich«, sagte Franziska. »Mist, sie hat das Geld zu schnell in die Handtasche geschoben. Ich konnte nicht sehen, wie viel es war. Achtung, sie geht weiter!«
Frau Freiberg ließ die Fußgängerzone links liegen und steuerte auf den Schillerpark zu. Ein Schwarm Tauben flog auf und Ramonas Mutter folgte ihnen.
»Hoffentlich will sie nicht bloß Tauben füttern«, sagte Kim.
»Glaub ich nicht«, sagte Franziska. »Sie wird sich ihr schönes Kostüm doch nicht mit Taubenkacke ruinieren.«
Franziska sollte Recht behalten. Frau Freiberg ignorierte die Tauben und durchquerte zielstrebig auf dem asphaltierten

Hauptweg den Schillerpark. Am Osttor verließ sie den Park wieder und bog in eine belebte Geschäftsstraße ein. Hier reihte sich ein Bürogebäude ans andere. Ramonas Mutter ging gleich auf das erste zu. Franziska und Kim warteten hinter einer Litfaßsäule, bis sie das Gebäude betreten hatte. Dann flitzten sie hinterher. Durch die Drehtür konnten sie gerade noch erkennen, wie sich die Aufzugtür hinter Frau Freiberg schloss.

»Oh nein!«, rief Franziska und zeigte auf die Firmenschilder am Eingang. »Hier gibt es ja tausend verschiedene Firmen. Wie sollen wir jetzt bloß herausfinden, wo Ramonas Mutter hinwill?«

Kim ging die Schilder im Eiltempo systematisch von oben nach unten durch. Plötzlich blieb sie bei einem Schild hängen. »Da haben wir's! *Youth – junge Musik*. Das ist doch die Plattenfirma, in der Michael Martens Geschäftsführer ist.«

»Volltreffer!«, rief Franziska.

Schnell quetschten sie sich durch die Drehtür und liefen zum Aufzug. Direkt neben dem Knopf für den siebten Stock war das Firmenschild von *Youth* angebracht. Aufgeregt drückte Kim auf den Knopf. Fast geräuschlos schwebten sie nach oben. Als die Aufzugtür aufging, merkte Kim, wie ihre Hände feucht wurden. Wenn Frau Freiberg jetzt um die Ecke bog, waren sie verloren!

Doch der Flur war leer. Franziska und Kim gingen ein paar Meter auf dem dicken, dunkelblauen Teppich, der ihre Schritte verschluckte. Hinter einer Tür hörten sie laute Musik, hinter einer anderen einen Staubsauger. Die nächste Tür auf der rechten Seite stand offen. Vorsichtig lugten sie hinein.

»Die Teeküche«, flüsterte Kim.
Franziska war schon eine Tür weiter. »Und hier ist das Sekretariat von Michael Martens. Schnell weg, ich höre Schritte!«
Sofort zogen sich Kim und Franziska in die Teeküche zurück. Keine Sekunde zu früh, denn da ging auch schon die Tür des Sekretariats auf und sie hörten eine flötende Stimme, die sie nur allzu gut kannten.
»Vielen Dank!«, sagte Frau Freiberg. »Das ging ja schneller, als ich dachte.«
Eine dunkle, raue Frauenstimme antwortete: »Ja, ja, schon gut! Auf Wiedersehen!«
»Auf Wiedersehen«, sagte Frau Freiberg. Dann lief sie an der Teeküche vorbei.
Sie war so nah, dass Kim sogar ihr Parfüm riechen konnte: eine Mischung aus Orange und Vanille. Kim lauschte mit klopfendem Herzen, wie sich die Schritte von Ramonas Mutter langsam entfernten. Die Aufzugtür zischte und dann hörte sie, wie der Aufzug nach unten fuhr. Gleichzeitig murmelte die Sekretärin: »Bloß keinen Stress, bloß keinen Stress!«, und machte ihre Tür wieder zu.
»Puh!«, rief Kim. »Das war knapp.«
Franziska nickte. »Kannst du laut sagen. Und jetzt? Hinterher?«
Kim schüttelte den Kopf. »Nein, lass uns lieber hier noch ein bisschen warten. Bestimmt muss die Sekretärin irgendwann aufs Klo. Ich würde zu gern einen Blick in ihr Büro werfen. Vielleicht gibt es ja irgendwo Hinweise auf Frau Freiberg.«
»Gute Idee!«, sagte Franziska.

Kim holte ihr Detektivtagebuch heraus und notierte: *16:01 Uhr. Frau F. verlässt das Sekretariat von Youth.*
Franziska ließ sich auf einen Klappstuhl fallen und Kim lehnte sich gegen den Kühlschrank. Auf dem kleinen Tisch in der Teeküche lag eine aufgerissene Packung Kekse. Sofort lief Kim das Wasser im Mund zusammen. Diese Nervennahrung hätte sie jetzt gut gebrauchen können, aber sie konnte doch nicht einfach Kekse stehlen. Ausgerechnet heute hatte sie vergessen einen Schokoriegel mitzunehmen.
Da ging draußen eine Tür auf. Schnell lugte Kim um die Ecke. »Die Sekretärin geht zur Toilette!«
Franziska war sofort bei Kim. Gemeinsam schlichen sie aus der Teeküche und schlüpften ins Sekretariat hinein. Kims Magen verkrampfte sich. Wie war sie bloß auf die verrückte Idee gekommen, hier einfach einzudringen? Doch dann spürte sie wieder das prickelnde Jagdfieber und riss sich zusammen. Auf dem Schreibtisch lagen überall Stapel von CDs und Papieren. Nur eine Stelle war frei, direkt neben dem Computer. Dort prangte ein großer Terminkalender.
Franziska und Kim beugten sich aufgeregt darüber.
»Hier!«, rief Franziska und zeigte auf den Mittwoch. »14:00: Frau Freiberg. Der nächste Termin ist um 14:30 Uhr. Also hat sie eine halbe Stunde bei Michael Martens.«
Kim kritzelte Datum und Zeit in ihr Detektivtagebuch. »Also doch! Das kann einfach kein Zufall sein.«
Franziska sah sich im Raum um. »Schau mal, die ganzen goldenen Scheiben an den Wänden! Michael Martens scheint einen echt guten Riecher für Talente zu haben. Warum hat er sich bloß für Marie nicht eingesetzt?«

Kim wurde langsam nervös. »Komm, lass uns abhauen! Sonst erwischt uns die Sekretärin noch.«
»Okay«, sagte Franziska. »Ich check nur noch, wie die Sekretärin heißt.« Leise öffnete sie die Tür und sah auf das Namensschild neben der Tür. »Sie heißt Thomas«, flüsterte sie. »Okay, dann nichts wie los. Die Luft ist rein.«
Franziska und Kim verließen das Büro und rannten zum Aufzug. Gerade als sie dort ankamen, ging die Tür auf und Michael Martens stand ihnen direkt gegenüber.
Kim schnappte nach Luft. Ihr wurde ganz heiß und sie spürte, wie ihr die Röte ins Gesicht schoss. Jetzt war alles aus! Doch im nächsten Moment fiel ihr ein, dass Michael Martens sie ja gar nicht kannte.
Plötzlich klingelte das Handy des Geschäftsführers. Er griff in seine Tasche, warf den Mädchen einen flüchtigen Blick zu und ging an ihnen vorbei. »Ja, Sue, was gibt es denn schon wieder?«, nuschelte er in sein Handy.
Franziska zog Kim in den Aufzug. Als die Tür zuging, prustete sie los und konnte gar nicht mehr aufhören zu lachen.
»Was hast du?«, fragte Kim, der der Schock immer noch in den Knochen steckte.
»Wenn der wüsste«, kicherte Franziska, »dass wir ihm ganz dicht auf den Fersen sind. Der hält uns bestimmt für harmlose Fans von irgendeiner Boygroup.«
»Tja«, sagte Kim und musste auch kichern. »So kann man sich täuschen. Aber ich finde das super. Als Mädchen-Detektivclub fällt man viel weniger auf bei den Ermittlungen.« Plötzlich wurde sie wieder ernst. »Aber die drei !!! müssen gemeinsam ermitteln. Wir brauchen Marie!«

Franziska stieg aus dem Aufzug und steuerte auf die Drehtür zu. »Am besten holen wir unsere Räder und fahren zu ihr.«
»Dasselbe wollte ich auch gerade vorschlagen«, sagte Kim.
Die beiden rannten zurück durch den Schillerpark zum Haus von Ramonas Mutter. Franziska war wieder mal schneller als Kim. Während Kim noch keuchte und mit Seitenstechen kämpfte, hatte Franziska bereits die Fahrräder aus dem Busch geholt.
Kurz darauf klingelten sie bei Marie, doch der Summer blieb stumm.
»Hat sie etwa schon wieder eine Gesangsstunde, um doch noch ein Star zu werden?«, stöhnte Franziska. »Oder reagiert sie sich mit Aerobic den Casting-Frust ab?«
»Das glaub ich nicht«, sagte Kim. »Hack doch nicht immer so auf ihr herum. Ihr geht es wirklich dreckig.«
Franziska verzog zerknirscht das Gesicht. »Sorry, es ist einfach mit mir durchgegangen.«
Da ertönte der Summer. Erleichtert machte Kim die Tür auf und sie fuhren hoch zum Penthouse. Die Wohnungstür stand offen. Als sie eintraten, fanden sie Marie mit einer großen Packung Kosmetiktücher auf dem Sofa vor. Ihr Gesicht war ungeschminkt und ziemlich verquollen.
»Du Ärmste!«, rief Kim und lief zu ihr hin, um sie zu umarmen.
Aber Marie stieß sie weg. »Was wollt ihr hier? Bemitleiden kann ich mich auch alleine.«
Franziska ließ sich aufs Sofa plumpsen. »Wir haben Neuigkeiten! Du ahnst nicht, was wir herausgefunden haben!«
»Lasst mich raten«, sagte Marie. »Ihr habt Ramonas Mutter

hinterherspioniert und sie mit einem Geliebten knutschend im Café erwischt.«

»Viel besser«, sagte Franziska. »Sie hat einen Termin mit Michael Martens vereinbart, übermorgen Nachmittag.«

Marie richtete sich auf. »Wie bitte? Du machst Witze!«

»Franzi macht leider keine Witze«, sagte Kim. »Sie war im Sekretariat bei *Youth* und wir haben den Beweis im Terminkalender der Sekretärin gefunden.«

Franziska und Kim berichteten ihrer Freundin abwechselnd von der aufregenden Verfolgungsjagd. Marie hörte schweigend zu, schnappte sich ein Kosmetiktuch und zerknüllte es in ihrer Faust.

»Also, was ist jetzt?«, fragte Franziska. »Steigst du nun ein in unsere Ermittlungen oder nicht?«

Marie schwieg immer noch.

»Wir brauchen dich«, sagte Kim und sah Marie flehend an. »Du gehörst doch zu den drei !!!. Ohne dich sind wir aufgeschmissen.«

Franziska nickte. »Kim hat Recht. Wir brauchen dich. Du musst übermorgen zu diesem Michael Martens gehen und ihn unauffällig ausquetschen, und zwar am besten gleich nachdem Ramonas Mutter bei ihm war. Du bist die Einzige von uns, die er bereits kennt. Wenn du es schaffst, an seiner Sekretärin vorbeizukommen, kann eigentlich gar nichts mehr schiefgehen.«

Marie warf das Kosmetiktuch in den Papierkorb. »Habt ihr schon eine Strategie? Ich hab da nämlich eine Idee.«

Ein Rauswurf und ein neuer Anfang

Marie sah auf ihre Armbanduhr: 14:35 Uhr. Die Drehtür des Firmengebäudes bewegte sich und wie erwartet kam Frau Freiberg heraus. Gut gelaunt ging sie an Marie vorbei, sah ihr mitten ins Gesicht, ohne zu grüßen, und bog in den Schillerpark ein.

Marie musste grinsen. Ramonas Mutter hatte sie nicht erkannt! Ungeduldig wartete Marie ein paar Minuten, dann riss sie sich die schwarze Perücke vom Kopf und setzte die Sonnenbrille ab. Beide Sachen ließ sie in den tiefen Taschen ihres Mantels verschwinden.

»Der Countdown läuft«, murmelte sie. Unauffällig drehte sie sich noch mal um. Auf der anderen Straßenseite hatte Franziska ihr Fahrrad auf den Kopf gestellt und bastelte daran herum. Fünf Meter weiter stand Kim vor dem Schaufenster der Espresso-Bar und trat fröstelnd von einem Bein aufs andere. In der letzten Nacht waren die Temperaturen in den Keller gefallen und tagsüber war es nicht wesentlich wärmer geworden. Dazu kam ein ekliger, eiskalter Regen.

Marie straffte die Schultern, klemmte den schwarzen Schirm ihres Vaters unter den Arm und ging auf die Drehtür zu. Sie betrat den Eingangsbereich so selbstverständlich, als würde sie jeden Tag dort zur Arbeit gehen. Im Aufzug, den sie mit ein paar Geschäftsmännern in dunklen Anzügen teilte, starrte sie betont gelangweilt Löcher in die Luft. Als der Lift im siebten Stockwerk hielt, öffnete sie ihren Mantel, strich den grauen Bleistiftrock glatt, der sie mindestens zwei Jahre älter machte, und trat hinaus in den Flur. Franziska und Kim hatten ihr genau beschrieben, wo das Sekretariat war. Sie musste also nicht mal nach dem Weg fragen. Auf dem Flur begegneten ihr zwei coole Typen Anfang zwanzig mit Edel-Tattoos auf den Oberarmen und Kopfhörern im Nacken.

»Hi, bist du neu hier?«, fragte der eine und grinste Marie an.

»Nein«, sagte Marie. »Ich bring nur meiner Tante was vorbei, Frau Thomas.«

Die beiden stießen sich an und lachten.

»Na dann, viel Spaß bei deiner Tante!«, sagte der andere. »Die hat ja echt Haare auf den Zähnen.«

»Wieso?«, sagte Marie. »Zu mir ist sie immer supernett.«

Die Typen gingen grinsend weiter. Marie atmete tief durch. Das waren ja heitere Aussichten. Hoffentlich würde die Sekretärin ihr die Lügengeschichte abnehmen!

Entschlossen klopfte sie an der Tür des Sekretariats.

»Herein!«, rief eine nicht gerade freundlich klingende Stimme.

Marie machte schwungvoll die Tür auf und setzte ihr schönstes Lächeln auf. »Guten Tag, Frau Thomas! Mein Name ist Marie Grevenbroich.«

»Ja, und?«, fragte die Sekretärin, die sich gerade eine Zigarette anzündete.

Marie musterte sie kurz von oben bis unten. Sie war bestimmt schon über vierzig, hatte dunkelbraune Haare, die sie zu einem Pferdeschwanz zusammengefasst hatte, und einen Damenbart.

»Entschuldigen Sie bitte die Störung«, redete Marie unbeirrt weiter. »Mir ist da was ganz Dummes passiert. Stellen Sie sich vor, ich war heute Morgen in der Espresso-Bar gegenüber und hab einen Latte macchiato getrunken. Das mache ich immer vor der Arbeit. Da stellt sich plötzlich Michael Martens neben mich. Ich habe ihn sofort erkannt, weil er doch so oft in der Zeitung ist. Wir kamen ins Gespräch und haben ein bisschen geplaudert. Er wollte sogar meine Telefonnummer haben.«
Frau Thomas guckte genervt auf ihre Armbanduhr.
Marie strahlte sie an. »Ich werde Sie nicht mehr lange belästigen, das verspreche ich Ihnen! Also, Michael Martens hatte es auf einmal eilig, er stürzte seinen Cappuccino hinunter und ging schnell hinaus. Ich sah ihm nach, und als er längst weg war, fiel mir auf, dass er seinen Regenschirm vergessen hatte. Ich bin natürlich sofort auf die Straße gerannt, aber es war zu spät. Er war schon verschwunden. Leider musste ich dann gleich zur Arbeit, aber jetzt bin ich hier und wollte Michael Martens seinen Schirm zurückbringen.«
Die Sekretärin drückte ihre halb gerauchte Zigarette im Aschenbecher aus. »Danke! Geben Sie den Schirm mir. Herr Martens ist gerade in einer Besprechung.«
Marie presste den Schirm an sich und schüttelte den Kopf. »Nein, nein! Ich bestehe darauf, den Schirm Michael Martens persönlich zu überbringen. Ich warte gerne, das ist überhaupt kein Problem!«
»Wie Sie wollen«, sagte Frau Thomas. »Das kann aber dauern!« Dann hackte sie in ihren Computer, ohne Marie einen Platz anzubieten oder sich weiter um sie zu kümmern.

Marie ging ans Fenster und wartete. Innerlich jubelte sie. Sie hatte es tatsächlich geschafft! Die Sekretärin war ihr auf den Leim gegangen und Michael Martens würde sie auch noch um den Finger wickeln.
Die nächsten Minuten zogen sich wie Kaugummi dahin. Alle Augenblicke sah Marie auf die Uhr. Nach zwanzig Minuten ging endlich die Tür auf und Michael Martens kam mit einem Kollegen heraus. Verblüfft starrte er Marie an. »Was machst du denn hier?«
»Die junge Dame will unbedingt zu Ihnen«, sagte Frau Thomas. »Sie hat …«
»Ist gut«, unterbrach Michael Martens. »Komm rein, Marie.«
Mit einem triumphierenden Lächeln ging Marie an der finster dreinblickenden Sekretärin vorbei. Michaels Büro war größer als der Vorraum. Überall an den Wänden waren Regale, vollgestopft mit CDs. In einer Nische prangte eine riesige, silbrig glänzende Stereoanlage.
Michael Martens setzte sich hinter seinen Glasschreibtisch und deutete auf einen eleganten schwarzen Ledersessel. »Bitte!«
Marie legte den Schirm achtlos auf den Boden, versank in dem kühlen Leder und lächelte Michael verführerisch an.
»Also, was kann ich für dich tun?«, fragte Michael.
»Zuerst mal wollte ich mich entschuldigen«, sagte Marie. »Ich hab mich auf der Party total bescheuert benommen. Ich wollte mich nicht bei dir einschleimen oder mir irgendwelche Vorteile beim Casting verschaffen, das musst du mir glauben.«

Michael nickte. »Okay, Entschuldigung ist angekommen. Was hast du sonst noch auf dem Herzen?«

»Wie soll ich am besten anfangen?«, sagte Marie. »Ich habe eine Freundin, Ramona. Ramona Freiberg. Sie macht auch beim Casting mit und hat die erste Vorrunde geschafft, mit *Perfekte Welle*.«

Michael runzelte die Stirn. »Ach ja, ich erinnere mich. Und, was ist mit ihr?«

»Na ja«, sagte Marie. »Ich finde, sie ist die beste Sängerin in der ganzen Stadt. Du solltest sie mal mit ihrer Band bei uns in der Schule hören. Da ist sofort eine Wahnsinnsstimmung. Und das liegt ganz allein an ihr. Sie hat so eine irre Ausstrahlung.«

Michael spielte mit seinem Kugelschreiber herum. »Könntest du langsam mal auf den Punkt kommen? Ich hab nicht ewig Zeit.«

»Ja, klar«, sagte Marie. »Entschuldige bitte! Also: Ramona ist eine tolle Künstlerin und sie ist sehr feinfühlig und sensibel. Ich wollte dich nur darum bitten, dass du sie in den nächsten Runden nicht so hart anpackst. Ich will nicht, dass sie heulend zusammenbricht wie diese Mädchen bei den anderen Castings. Kannst du mir das versprechen?«

Michael starrte Marie an. »Was hast du da gerade gesagt?«

Marie klimperte ihn mit ihren getuschten Wimpern an. »Fass sie bitte nicht mit der harten Methode an. Die bewirkt bei ihr genau das Gegenteil.«

»Und warum sollte ich das bitte für dich tun?«, fragte Michael.

Marie seufzte. »Ich habe leider nicht so viel Taschengeld«,

schwindelte sie. »Aber ich würde dir alles geben, was ich habe.«
Da sprang Michael von seinem Sessel auf. »Ich glaub, ich hör nicht recht! Du versuchst schon wieder mich zu bestechen!«
»Nein, nein!«, wehrte sich Marie. »Ich will nur meiner Freundin helfen.«
»Ich fasse es nicht!«, rief Michael. Seine Stimme wurde immer lauter. »Verschwinde sofort aus meinem Büro!«
»So hab ich es nicht gemeint«, sagte Marie. »Lass mich doch erklären ...«
»Da gibt es nichts zu erklären!«, sagte Michael scharf. »Dieses Casting läuft nach fairen Spielregeln ab und ich werde alles dafür tun, dass das auch so bleibt. Komm mir ja nie wieder mit so was! Sonst muss ich mal ein ernstes Wörtchen mit deinem Vater reden.«
Marie erschrak. Ihr Vater durfte von der ganzen Sache nichts erfahren. »Nein, bitte nicht!«, rief sie ehrlich verzweifelt.
»Du hast es selber in der Hand«, sagte Michael, »wenn du jetzt sofort verschwindest, vergesse ich die ganze Geschichte. Wenn nicht, dann ...« Er kam hinter dem Schreibtisch hervor und baute sich drohend vor ihr auf.
Hastig sprang Marie vom Ledersessel hoch und griff nach ihrem Schirm. Sie wollte lieber nicht wissen, was Michael *dann* genau machen würde.
»Tschüss«, murmelte sie und machte sich so schnell wie möglich aus dem Staub.
Hinter ihr knallte Michael wütend die Tür zu.
»Er hat heute einen schlechten Tag«, sagte sie zur Sekretärin, die sie entgeistert ansah. »Geben Sie ihm Bachblütentropfen

oder so was, das wirkt bei meinem Vater auch immer Wunder.«
Bevor Frau Thomas etwas erwidern konnte, schlüpfte Marie rückwärts zur Tür hinaus. Den Schirm versteckte sie dabei geschickt hinter dem Rücken. Auf dem Flur wäre sie am liebsten losgerannt, aber dadurch wäre sie bloß noch mehr aufgefallen. Da kamen ihr auch noch ausgerechnet die beiden coolen Typen von vorhin entgegen.
»Na, wie war's bei deiner Tante? Doch nicht so toll?«, fragte der eine.
»Ging so«, murmelte Marie und versuchte ihre gleichgültige Maske aufrechtzuerhalten.
Die Typen fuhren auch noch mit ihr mit dem Aufzug ins Erdgeschoss hinunter und grinsten sie die ganze Zeit frech an. Marie schmorte in der engen, stickigen Aufzugskabine wie in der Hölle. Es kam ihr ewig vor, bis sie endlich unten anlangte und durch die Drehtür ins Freie flüchten konnte.
Schnell rannte sie in den Schillerpark. Erst bei einer einsamen Bank im hinteren Teil des Parks, den die drei !!! als Treffpunkt vereinbart hatten, blieb sie stehen. Ihr Herz hämmerte gegen die Brust und sie sah wieder Michaels verzerrtes, wütendes Gesicht dicht vor ihren Augen.
Da kam Franziska angesprintet, gefolgt von Kim. »Und, wie war's?«, fragte sie gespannt.
Kim brachte vor lauter Keuchen erst mal kein Wort heraus.
»Es war schrecklich!«, stöhnte Marie. »Er hat mich angeschrien.«
»Du Arme!«, rief Kim. »Warum das denn?«
»Er ist total ausgerastet und hat mir gedroht«, erzählte Ma-

rie, »dass er mit meinem Vater spricht, wenn ich noch einmal versuche ihn zu bestechen.«
Franziska schüttelte den Kopf. »Der ist ja hart drauf.«
»Stimmt«, sagte Marie, die sich langsam wieder von ihrem Schreck erholte. »Aber ein Gutes hat das Ganze wenigstens: Wir wissen jetzt sicher, dass er sich nicht bestechen lässt und dass Ramonas Mutter unschuldig ist.«
»So sicher ist das nicht«, sagte Franziska. »Vielleicht ist er ja nur deshalb so ausgerastet, weil du ins Schwarze getroffen hast. Das kenn ich von Chrissie. Die regt sich auch immer am meisten auf, wenn jemand sie bei irgendeinem Mist, den sie gebaut hat, ertappt.«
Kim überlegte. »Hm, Franziska hat Recht. Vielleicht war ihm dein Taschengeld zu wenig oder er wollte sich nicht verraten, weil er gerade erst das Geld von Ramonas Mutter eingeschoben hat. Deshalb hat er verzweifelt versucht den Verdacht von sich abzulenken. Weil er Angst hat, dass du das Ganze weitererzählst.«
»Was redet ihr da?«, rief Marie. »Michael hat mich schon bei der Party sofort abgewimmelt und jetzt wieder. Ich glaube nicht, dass er bestechlich ist. Und Ramonas Mutter … nein, da glaube ich es auch nicht, dass sie ihn wirklich bestochen hat. Vielleicht wollte sie ja ganz was anderes von ihm.«
»Was denn?«, fragte Franziska.
Marie zuckte die Schultern. »Keine Ahnung.«
Franziska und Kim tauschten einen Blick.
»Glauben reicht aber nicht«, sagte Kim. »Detektive müssen so lange weiterermitteln, bis sie sich hundertprozentig sicher sind.«

Marie stöhnte. »Ich hasse diesen Fall!«
»Trotzdem müssen wir ihn lösen«, sagte Franziska. »Die drei !!! geben nicht bei der ersten kleinen Schwierigkeit auf.«
Marie schnappte nach Luft. »Das nennst du ›erste kleine Schwierigkeit‹? Hast du dir mal überlegt, wie ich Ramona unter die Augen treten soll? Vornerum tue ich so, als sei sie meine Freundin, und hintenrum traue ich ihrer Mutter die schlimmsten Dinge zu und versuche sie hinter Gitter zu bringen.«
»Du musst eben Privates und Berufliches trennen«, sagte Franziska. »Du hängst eh viel zu viel mit dieser Ramona herum. Triff dich lieber mit uns und reiß dich ein bisschen zusammen!«
Marie war kurz davor, Franziska an die Gurgel zu springen, doch Kim hielt sie im letzten Moment zurück. »Hört auf zu streiten! Ihr macht alles nur noch schlimmer.«
»Und was schlägst du stattdessen vor?«, fragte Marie.
»Wir müssen weitermachen«, sagte Kim. »Was haltet ihr von einer Krisensitzung im Pferdeschuppen? Morgen um vier Uhr? Da können wir alles Weitere besprechen. Marie, bitte lass uns jetzt nicht im Stich! Ich weiß, dass es schwer für dich ist, aber ich weiß auch, dass wir da einer heißen Sache auf der Spur sind.«
Marie nickte. »Okay, okay, ich mach ja weiter mit! Aber morgen kann ich erst um fünf. Vorher hab ich Gesangsstunde. Bloß weil die mich aus dem Casting gekickt haben, höre ich noch lange nicht auf zu singen!«

Zwei Stars verplappern sich

»Schmeckt es dir nicht, Kim?«, fragte Frau Jülich beim Abendessen am nächsten Tag. »Hast du Probleme in der Schule?«

Kim sah genervt von ihrem Teller hoch, auf dem sie die Bratkartoffeln von einer Seite zur anderen Seite geschoben hatte. Immer musste ihre Mutter von der Schule anfangen. Als ob es nicht tausend wichtigere Dinge gäbe! Den Detektivclub zum Beispiel. Da ging im Moment alles drunter und drüber.

»Ich hab heute auch nicht so viel Appetit«, mischte sich Herr Jülich ein. »Die Gummibärchen waren einfach zu gut.« Dabei zwinkerte er Kim zu.

Die Schwäche für Süßes hatte sie von ihm geerbt. Ihr Vater konnte, wenn er in seiner Werkstatt an einer seiner Kuckucksuhren bastelte, spielend nebenbei eine ganze Tüte Gummibärchen oder eine Tafel Schokolade verdrücken.

Frau Jülich stöhnte. »Wunderbar! Du bist ja ein tolles Vorbild für deine Tochter.«

Da fingen Ben und Lukas an zu lachen.

»Was habt ihr denn?«, fragte Kim ihre Zwillingsbrüder und guckte sie misstrauisch an.

Die beiden hatten garantiert schon wieder etwas ausgeheckt. Wenn sie nicht gerade darum bettelten, an Kims Computer ein neues Spiel auszuprobieren, kamen sie auf tausend andere dumme Ideen.

»Ich weiß, warum Kim keinen Hunger hat«, sagte Ben.

»Ich auch!«, rief Lukas.

Dann krähten die beiden Neunjährigen im Chor: »Sie ist *verliebt*!«

Kim fiel vor Schreck die Gabel aus der Hand. »Spinnt ihr? Das ist nicht wahr!«

»Ist es doch«, sagte Ben und zog aus seiner Hosentasche ein gefaltetes Blatt Papier heraus. »Wir haben den Beweis, wir sind nämlich auch Detektive.«

Kim versuchte Ben das Papier wegzunehmen, aber ihr kleiner Bruder war schneller. Er warf das zusammengefaltete Blatt zu Lukas hinüber. Der strich es hastig glatt und las laut vor: *»Ich hab mich verknallt! Das erste Mal so richtig. Wer es ist? Michi Mill…!«*

Kim riss ihm das Blatt aus der Hand. »Wo habt ihr das her? Wart ihr an meinem Computer?«

»Nein«, sagte Ben und schüttelte unschuldig den Kopf. »Du hast die Seite ausgedruckt und im Drucker liegenlassen.«

»Und da haben wir sie gefunden, als wir in deinem Zimmer unseren Fußball gesucht haben. Der ist da zufällig reingerollt.«

Kim wurde knallrot. »Zufällig? Ich glaub euch kein Wort, meine Tür war doch zu. Das ist *mein* Drucker und *mein* Computer! Wann kapiert ihr das endlich? Und in meinem Zimmer habt ihr nichts zu suchen!«

Ben und Lukas grinsten sie an.

»Du bist rot geworden, rot geworden!«, rief Lukas.

Kim wurde prompt noch röter.

Da mischte sich ihre Mutter ein. »Du bist verliebt? Zum ersten Mal? Ach je!«

Kim hätte ihrer Mutter am liebsten den Teller mit den Bratkartoffeln über den Kopf gekippt.
»Michi, Michi …«, überlegte Herr Jülich laut. »Ist das nicht dieser nette junge Mann, der in der Eisdiele aushilft? Ach, könntest du nicht mal einen Gratis-Eisbecher mitbringen?«
»Karl, also wirklich«, unterbrach ihn Frau Jülich.
Herr Jülich lachte. »Schon gut, war ja nur ein Vorschlag. Kim hätte es eh nicht gemacht. Dafür ist sie viel zu ehrlich.«
»Und verknallt!«, krähte Lukas schon wieder.
»Halt den Mund!«, rief Kim, sprang auf und rannte hoch in ihr Zimmer. Keine Sekunde hielt sie es hier länger aus.

Geheimes Tagebuch von Kim Jülich
Donnerstag, 19:01 Uhr
Ben und Lukas sind so was von gemein! Ständig schnüffeln sie herum und stecken ihre Nasen in Dinge, die sie überhaupt nichts angehen. Ich hab das Recht auf ein Privatleben! Kann ich denn überhaupt nichts mehr offen in meinem Zimmer liegenlassen? Muss ich mir jetzt einen Safe zulegen und alles wegsperren? Und kann ich nie wieder etwas ausdrucken? Diese Seite, die ich gerade schreibe, drucke ich jedenfalls nicht aus.
Es war so peinlich, peinlich, peinlich!
Jetzt weiß meine ganze Familie, dass ich in Michi verknallt bin!
Ich würde am liebsten untertauchen wie Harry Lime in »Der dritte Mann«, von dem alle denken, dass er tot ist, aber in Wirklichkeit führt er sein Leben im Schutz der unterirdischen Labyrinthe der Wiener Kanäle ganz normal weiter.
Aber das Schlimmste ist: Michi meldet sich einfach nicht. Mag er mich nicht mehr? Michi, bitte melde dich!

Detektivtagebuch von Kim Jülich
Donnerstag, 19:16 Uhr
Erst konnte ich es kaum erwarten, dass die drei !!! einen neuen Fall bekommen. Und jetzt ist alles so schrecklich kompliziert. Sicher liegt es daran, dass diesmal einer von den drei !!! direkt betroffen ist. Als Detektiv braucht man eben eine gewisse Distanz, um mit klarem Kopf ermitteln zu können. Die hat Marie leider nicht. Trotzdem will sie weitermachen. Ich bewundere sie sehr dafür. Wer weiß, wie es mir ginge, wenn ich an ihrer Stelle wäre. Daran darf ich gar nicht denken.
Bei unserer Krisensitzung ist leider nichts Großartiges herausgekommen. Wir waren uns nur einig, dass wir gemeinsam weiterermitteln. Und Marie hat darum gebeten, dass sie nicht Ramonas Mutter beschatten muss, wenn es sich irgendwie vermeiden lässt. Das haben wir ihr natürlich zugestanden. Dieses Wochenende haben Franziska und ich eh keine Zeit, uns mit Ramonas Mutter zu beschäftigen. Wir schreiben beide eine Mathearbeit, und weil Franzi keinen blassen Schimmer hat, lernen wir zusammen und ich helfe ihr ein bisschen.
Mein Krimiroman verstaubt inzwischen in der Schublade. Seit unser neuer Fall begonnen hat, habe ich keine einzige Zeile mehr geschrieben. Im Schreibworkshop vom Jugendzentrum war ich auch schon zwei Wochen nicht. Hoffentlich ist die Schreibkrise bald vorbei und hoffentlich geht unser Fall bald weiter. Meine Laune ist eh schon im Keller und ich esse zurzeit wieder viel zu viel Schokolade!

Noch nie war es Marie so schwergefallen, in die Schule zu gehen. Normalerweise machten ihr die Stunden Spaß und in

der Pause hatte sie ihre Clique, mit der sie quatschen konnte. Und dann gab es ja auch noch Ramona … Aber seit der Sache mit ihrer Mutter schaffte Marie es einfach nicht, so zu tun, als wäre nichts. Erzählen durfte sie Ramona auch nichts, sonst gefährdete sie die Ermittlungen der drei !!!. Also tat sie etwas, was sie sonst nie tat: Sie ging Ramona aus dem Weg und verbrachte die meiste Zeit der Pause auf dem Flur der Fünftklässler, wo sich sonst kein Achtklässler aufhielt. Auch heute am Freitag drückte sie sich wieder dort herum.
Doch plötzlich hörte sie Ramonas Stimme. »Marie, hallo!«
Zögernd drehte sie sich um. »Ja?«
Ramona lachte. »Langsam glaube ich, du rennst vor mir davon. In den letzten Tagen hab ich dich überall gesucht.«
Marie wusste nicht, was sie sagen sollte. »Ich wollte … ein bisschen allein sein.«
»Ja, klar«, sagte Ramona. »Du bist immer noch gefrustet wegen des Castings. Kann ich dir irgendwie helfen? Willst du dich bei mir ausheulen? Kein Problem!«
Marie schüttelte den Kopf. Dass Ramona so lieb zu ihr war, nagte noch mehr an ihrem schlechten Gewissen. »Nein, schon gut!«
»Komm, ich spendier dir eine Quarktasche«, sagte Ramona.
»Ich hab keinen Hunger«, murmelte Marie. »Ein andermal total gern. Du, sei mir nicht böse, aber ich muss ganz dringend aufs Klo.« Und bevor Ramona vorschlagen konnte mitzugehen, machte Marie auf dem Absatz kehrt und rannte davon.
»Warte!«, rief Ramona ihr hinterher, aber Marie drehte sich nicht mehr um.

Sie hetzte über den Pausenhof hinüber zum Mehrzweckbau. Dort waren die Räume für den Kunst- und Musikunterricht untergebracht und auf die Toilette im zweiten Stock verirrte sich kaum jemand während der Pause. Marie nahm auf der Treppe immer zwei Stufen auf einmal, rannte zur Mädchentoilette und riss die Tür auf. Dann sperrte sie sich in eine Kabine ein, klappte den Klodeckel herunter und wartete, bis sich ihr Puls langsam wieder beruhigte.

So konnte es nicht weitergehen! Sie konnte Ramona nicht ewig ausweichen. Aber was sollte sie tun? Die Lage war so dermaßen verfahren und es gab einfach keinen Ausweg. Marie stützte die Ellbogen auf die Knie und seufzte.

Da ging die Tür auf und sie hörte, wie zwei Mädchen kichernd hereinkamen. Der Wasserhahn rauschte, dann klackerte der Seifenspender.

»Meine Foundation hat schon wieder versagt«, sagte die eine. »Ich muss mir unbedingt eine neue zulegen.«

Marie horchte auf. Die Stimme kam ihr irgendwie bekannt vor.

»Leihst du mir mal deinen Lipgloss?«, fragte die andere.

»This lipgloss is for you!«, fing die Erste spontan an zu trällern.

Da machte es klick! bei Marie. Diese schräge Stimme würde sie nie vergessen. Das war Jette und die andere war Julia! Die hatten gut lachen. Bestimmt waren sie nur weitergekommen, weil Michael Martens fand, dass sie »toll« aussahen. Als ob sie nicht auch hübsch gewesen wäre, aber Michael schien wohl eher auf grell geschminkte Schönheiten zu stehen.

»Ich kann es kaum erwarten, bis die zweite Runde anfängt«,

sagte Jette. »Nächsten Freitag ist es endlich so weit und wir kommen auch gleich um 14 Uhr dran.«
Julia stöhnte: »Hör bloß auf! Ich hab jetzt schon Lampenfieber.«
»Wieso denn?«, fragte Jette und kicherte. »Beim ersten Mal lief doch auch alles wie geschmiert.«
»Ja, schon«, sagte Julia, »trotzdem: Ich hab einfach Schiss!«
Marie hörte, wie eine der beiden eine Spraydose betätigte. Sekunden später waberte der penetrante Geruch von Haarspray zu ihrer Kabine herüber. Marie hielt sich die Nase zu, um nicht niesen zu müssen.
»Entspann dich!«, sagte Jette zu ihrer Schwester. »Du weißt doch: Wir werden die Stars von *Afternoon*!«
Wenn das passiert, dachte Marie, dann schicke ich eine Stinkbombe zum Sender. Das können die echt nicht bringen.
Julia ließ einen gespielten Stoßseufzer los. »Ja, ich weiß: Mama hat es uns versprochen, und was sie verspricht, das hält sie auch.«
Marie klappte die Kinnlade nach unten. Was hatte Julia da gerade gesagt? Ihre Mutter hatte es ihnen versprochen? Wie konnte sie das tun? War sie etwa noch größenwahnsinniger als Frau Freiberg?
»Wir dürfen bloß niemandem etwas erzählen«, sagte Jette leise. »Mama ist ein verdammt großes Risiko für uns eingegangen.«
Risiko? Marie schwante auf einmal, worum es ging: Hatte die Mutter von Jette und Julia etwa Michael Martens bestochen?

Plötzlich hörte Marie Schritte. Blitzschnell entriegelte sie die Kabinentür und zog die Beine hoch. Die Schritte kamen näher. Langsam gingen sie die Kabinen ab. Marie hielt den Atem an. Vor ihrer Kabine blieb Jette oder Julia stehen. Oh nein, sie hatte doch etwas gemerkt! Sie wusste, dass sie dadrin saß. Doch da entfernten sich die Schritte wieder. Marie wagte wieder zu atmen.
»Zum Glück ist keiner da«, sagte Jette. »Wir müssen aber echt vorsichtig sein. Wenn da was durchsickert, bringt Mama uns um!«
Julia raunte: »Ich schweige wie ein Grab! Erst viel später in meinen Memoiren werde ich erwähnen, dass ich meinen Karrierestart einem kleinen Trick zu verdanken habe.«
»Schhht!«, machte Jette. »Bist du endlich still?«
Da ertönte der Gong zum Pausenende.
»Los, komm!«, rief Jette.
Marie hörte das Klackern von Schminkutensilien, dann ging die Tür auf und wieder zu. Marie wartete zur Sicherheit noch eine Weile, bis sie mit einem breiten Grinsen auf dem Gesicht ihre Kabine verließ.
Das war ja der Hammer! Wenn das kein halbes Geständnis gewesen war! Jammerschade, dass sie kein Aufnahmegerät dabeigehabt hatte. Das wäre auch zu schön gewesen. Aber diese Neuigkeiten Franziska und Kim zu erzählen, darauf freute sie sich jetzt schon. Dann mussten die beiden endlich einsehen, dass Ramonas Mutter unschuldig war!

Vier Stunden später zogen sich die drei !!! in die Kutsche im Pferdeschuppen zurück. Marie hatte allerhöchste Geheimhaltungsstufe ausgerufen. Franziska klappte extra das Verdeck der Kutsche zu. Jetzt saßen sie dicht gedrängt nebeneinander auf der schmalen, harten Bank, atmeten den schwachen Geruch nach Pferden ein und steckten aufgeregt die Köpfe zusammen.

Flüsternd erzählte Marie haarklein das Gespräch zwischen Jette und Julia. Sie war richtig stolz darauf, dass sie sich den genauen Wortlaut eingeprägt hatte.

Am Schluss machte sie eine geheimnisvolle Pause und sah ihre Freundinnen erwartungsvoll an. »Und, was sagt ihr dazu?«

»Ich bin platt!«, rief Kim. »Damit hätte ich jetzt am wenigsten gerechnet.«

Franziska schlug sich mit der Hand gegen die Stirn. »Bin ich blöd! Darauf hätte ich auch kommen können. Damals beim Casting kam mir die Sache mit den Schwestern auch schon so komisch vor, aber gleich danach hab ich es wieder vergessen, weil Ramonas Mutter ihren seltsamen Spruch losgelassen hat.«

»Siehst du!«, sagte Marie triumphierend. »Du hast die falsche Person verdächtigt. Frau Freiberg ist unschuldig.«

Kim räusperte sich. »Das ist immer noch nicht bewiesen, aber jetzt haben wir auf jeden Fall eine noch heißere Spur.«

Marie stöhnte. »Findest du nicht, dass du mit deiner Hartnäckigkeit ein bisschen zu weit gehst?«

»Nein«, sagte Kim. »Als Detektivin kann man nie hartnäckig genug sein!«

»Für Spitzfindigkeiten haben wir jetzt keine Zeit«, stellte Franziska klar. »Wir müssen handeln, bevor es zu spät ist

und die unterbelichteten Schwestern noch eine Runde weiterkommen. Was haltet ihr davon, wenn wir bei denen eine kleine Hausdurchsuchung veranstalten?«
Kim riss den Mund auf. »Bist du wahnsinnig? Willst du etwa nachts in ihr Haus einbrechen, oder was?«
»Von einbrechen war nicht die Rede«, sagte Franziska, »wir läuten am helllichten Tag bei ihnen, wenn wir wissen, dass die Schwestern weg sind, bei einer Gesangsstunde oder so. Dann braucht ihr nur noch die Mutter abzulenken, während ich mich unauffällig im Haus umsehe. Na, was haltet ihr davon?«
Marie nickte. »Genialer Plan. Er hat nur einen einzigen Haken: Wir wissen nicht, wo Jette und Julia wohnen, und wir wissen nicht, wann sie ihre Gesangsstunde haben.«
»Kein Problem«, sagte Kim. »Die Adresse bekomme ich sicher raus. Wozu gibt es die Auskunft im Internet? Und was die Nachmittagstermine der beiden angeht, da musst du eben deinen Charme spielen lassen, Marie. Schleim dich am Montag in der Pause bei den beiden ein! Erzähl ihnen, dass du sie beim Casting gesehen hast und wie wahnsinnig toll du sie findest. Das schaffst du doch locker, oder?«
Marie verzog das Gesicht. »Wenn mir nicht dabei schlecht wird!«
»Okay«, sagte Kim. »Dann kann's ja bald losgehen.«
»Endlich!«, rief Franziska und alle drei !!! mussten lachen.

In der Höhle des Löwen

Am Montagnachmittag standen die drei !!! bei den Garagen in der Bühlstraße 25 und hielten nach Jette und Julia Ausschau. Die Schwestern wohnten in einer Doppelhaushälfte am Rande einer Spielstraße, die nur fünf Minuten von Kims Wohnung entfernt war.
Marie fieberte dem Augenblick entgegen, in dem die Schwestern das Haus verlassen würden. Ihre Schleimerei war voll eingeschlagen. Sie hatte heute in der Pause perfekt den leicht hysterischen Fan gemimt und Jette und Julia waren prompt darauf reingefallen. Sie hatten sich sofort in Pose geworfen und Marie mit einem rosa Glitzerstift Autogramme gegeben. Danach hatten sie ihr die Ohren vollgequatscht und ganz von selbst von ihren Gesangs- und Ballettstunden erzählt. Marie hatte nur einmal nachhaken müssen, um herauszufinden, dass sie heute Nachmittag von 15:00 Uhr bis 16:30 Uhr Ballett hatten. Jetzt konnte Marie sich richtig auf die Hausdurchsuchungs-Aktion freuen. Ramona hatte ihr nämlich heute eröffnet, dass ihre Mutter für vier Tage zu einem Geschäftskongress in die USA fliegen würde. Damit schied sie als potenzielle Bestechungstäterin endgültig aus. Schließlich würde niemand, der gerade dabei war, jemanden mit Bestechungsgeldern zu schmieren, ausgerechnet in der heißen Phase des Castings verreisen und die Sache außer Kontrolle geraten lassen.
»Sie kommen!«, zischte Franziska plötzlich.
Kim notierte in ihr Detektivtagebuch: *J. und J. verlassen das*

Haus um 14:50 Uhr. Fortbewegungsmittel: zwei rosa Fahrräder. Ziel: die Ballettschule in der Fußgängerzone.
Die drei !!! duckten sich und ließen die Schwestern an sich vorbeifahren. Ahnungslos schwatzten und kicherten Jette und Julia. Marie grinste. Das Kichern würde ihnen bald vergehen!
»Bist du bereit?«, flüsterte Marie Franziska zu.
Die nickte, während sie die Riemen ihres Rucksacks festzurrte. »Bin bereit.«
Kim verglich ihre Armbanduhr mit der von Franziska. »Okay, wir geben dir fünfzehn Minuten, sobald die Terrassentür offen ist. Spätestens um 15:15 Uhr musst du die Fliege machen, verstanden? Länger können wir Frau Ternieden sicher nicht hinhalten und wir dürfen kein Risiko eingehen. Nach der Aktion geht jede für sich alleine ihren abgesprochenen Weg zu mir und wir treffen dort wieder zusammen. Alles klar?«
»Alles klar!«, sagten Franziska und Marie gleichzeitig.
»Viel Glück!«, wünschte Kim Franziska und war heilfroh, dass sie nicht deren Part übernehmen musste.
Sofort sprintete Franziska los, lief um die hohe Mauer des Doppelhauses herum und kletterte auf einen Apfelbaum, dessen Zweige ins Grundstück der Terniedens hereinragten. Hinter diesem Teil der Mauer war gleich die Terrasse.
Kim und Marie warteten, bis sie einen dumpfen Aufprall hörten und das Zeichen: den Ruf einer Meise. Dann kamen sie hinter den Garagen hervor und liefen den säuberlich geharkten Weg zur Haustür.
Kim umklammerte die Reitgerte, die Franziska ihr geliehen

hatte, und wiederholte im Kopf noch mal schnell die Worte, die sie sagen wollte.
Da ging auch schon die Tür auf und eine stark geschminkte, zerknitterte Kopie der Ballettschwestern erschien. »Wollt ihr zu Jette und Julia?«, fragte Frau Ternieden. »Die sind leider nicht da.« Plötzlich stutzte sie und sah Marie genauer an. »Kenne ich dich nicht irgendwoher?«
Marie schüttelte schnell den Kopf. »Nein, ganz bestimmt nicht.« Kim versuchte inzwischen möglichst verzweifelt auszusehen.
»Tinka ist weg!«, sprudelte Marie los. »Wir haben sie schon überall gesucht, aber keiner hat sie gesehen. Sie ist einfach ausgebüxt. Das macht sie sonst nie, und ausgerechnet heute, wo wir doch mit ihr feiern wollen. Tinka wird nämlich sieben, wissen Sie.«
Frau Ternieden hörte in Ruhe zu und lächelte. »Ihr sucht eure kleine Schwester? Wie sieht sie denn aus?«
»Wir haben gar keine kleine Schwester«, sagte Kim. »Tinka ist unser Pony. Das heißt, eigentlich gehört sie Jasmin«, dabei deutete sie auf Marie, »aber wir teilen uns Tinka und reiten beide auf ihr.«
Frau Ternieden hob die Schultern. »Da kann ich euch leider nicht weiterhelfen. Hier ist kein Pony.«
»Sind Sie sicher?«, fragte Marie. »Bitte, dürfen Leonie und ich ganz kurz in Ihren Garten schauen? Vielleicht ist Tinka ja über die Mauer gesprungen und Sie haben es gar nicht gemerkt. Tinka kann nämlich sehr gut springen.«
»Natürlich könnt ihr nachsehen«, sagte Frau Ternieden freundlich. »Zur Terrasse geht es einfach gerade durch.«

»Danke!«, sagte Kim und düste sofort los.
Marie blieb bei Frau Ternieden und redete weiter auf sie ein.
Währenddessen öffnete Kim die Terrassentür. Lautlos schlüpfte Franziska herein.
Schnell lief Kim wieder zurück und setzte ein enttäuschtes Gesicht auf. »Im Garten ist Tinka leider auch nicht.«
»Das tut mir leid«, sagte Frau Ternieden.
Plötzlich brach Marie in Tränen aus. Im Schauspielunterricht hatte sie das schon oft geübt und jetzt konnte sie es endlich in der Praxis anwenden. »Wir … finden … Tinka … nie wieder!«, schluchzte sie.
Frau Ternieden versuchte sie zu beruhigen. »Das glaube ich nicht! Ihr findet euer Pony bestimmt wieder. Kann ich euch irgendwie helfen?«
»Nein!«, schluchzte Marie.
Kim verbarg das Gesicht an der Schulter ihrer Freundin und tat so, als würde sie stumm mitweinen. Es musste ein herzzerreißendes Bild sein.
Frau Ternieden reagierte genauso, wie sie es gehofft hatten. »Jetzt kommt doch erst mal rein, ich mach euch eine heiße Schokolade und dann erzählt ihr mir noch mal alles in Ruhe.«
»Sie sind so nett zu uns!«, sagte Marie unter einem Schleier von Tränen.
Kim freute sich, endlich mal nicht lügen zu müssen. »Ich *liebe* heiße Schokolade!«
»Keine Ursache«, sagte Frau Ternieden.
Kim und Marie betraten das Haus und folgten Frau Ternieden in die Küche. Dabei redeten sie extra laut, damit Fran-

ziska gewarnt wurde und sich verstecken konnte, falls sie gerade in der Nähe war. Unruhig sah sich Kim um, doch Franziska war zum Glück weit und breit nicht zu sehen. Dann fiel ihr Blick auf die Wände des Flurs. Sie waren von oben bis unten gepflastert mit Fotos von Jette und Julia. Jedes Mal hatten sie ein anderes Outfit und auf einigen Bildern Mikrofone vor den Lippen.

»Tolle Fotos, nicht?«, sagte Frau Ternieden und lächelte stolz.

»Ja, die sind super!«, schwärmte Marie täuschend echt.

Kim starrte fassungslos auf die Bilder. Ihr reichte es schon, wenn sie morgens und abends ihre Pickel im Spiegel angucken musste, aber die Vorstellung, der Flur daheim wäre voller Fotos von ihr, war der absolute Albtraum.

In der Küche hing zwar nur ein Foto von Jette und Julia, aber das hatte dafür Postergröße. Süßlich lächelten die Schwestern von der zitronengelb gekachelten Wand auf Kim und Marie herab, die sich zögernd an den Küchentisch setzten.

Frau Ternieden hantierte geschäftig mit Topf und Schneebesen. »Gleich bekommt ihr eure heiße Schokolade.«

»Danke!«, sagte Marie und zog schniefend die Nase hoch.

Frau Ternieden gab ihr eine Packung Papiertaschentücher. »Heul dich ruhig aus!«

Lautstark prustete Marie in ein Taschentuch.

»Wo Tinka jetzt wohl ist?«, murmelte Kim. »Hoffentlich ist ihr nichts passiert!«

Wie auf Kommando fing Marie wieder an zu schluchzen.

Frau Ternieden holte aus einem der pastellfarbenen Schränke zwei Becher heraus. »So, das wird euch guttun!« Sie setzte sich zu ihnen und wartete, bis sie die heiße Schokolade ganz ausgetrunken hatten. »Also, wann habt ihr euer Pony denn das letzte Mal gesehen?«

»Gestern Abend«, sagte Marie. »Wir haben Tinka nach dem Reiten gemeinsam trocken gerieben und sie in ihre Box gebracht. Alles war so wie immer. Uns ist nichts Besonderes aufgefallen, nicht wahr, Leonie?«

»Nein, Jasmin«, sagte Kim.

»Ja, genau«, sagte Marie. »Deshalb wären wir auch nie auf die Idee gekommen, dass Tinka über Nacht verschwinden könnte. Tinka ist sonst so eine Brave ...« Marie redete und redete, um Zeit zu schinden, und Frau Ternieden hörte geduldig zu.

Kim sah zwischendurch unauffällig auf ihre Armbanduhr. Acht Minuten hatten sie schon überstanden. Jetzt mussten sie noch sieben Minuten herumkriegen. Hoffentlich konnten sie Frau Ternieden so lange einlullen!

Während Kim und Marie sich mit Frau Ternieden beschäftigten, checkte Franziska schnell alle Räume ab. Im Erdgeschoss gab es neben dem Wohnzimmer nur noch ein Musikzimmer mit einem Klavier drin. Im ersten Stock waren das Bad, das Schlafzimmer der Eltern und das Zimmer von Jette und Julia. Letzteres platzte vor lauter Klamotten fast aus den Nähten. Franziska ließ es links liegen und nahm sich das Arbeitszimmer von Frau Ternieden vor. Sie erkannte es sofort, weil auf dem Schreibtisch mehrere Fotos von ihr standen und daneben ein Stapel zartrosa Visitenkarten in einer Muschelschale lag.

Helga Ternieden

Immobilienmaklerin

Termine nach Vereinbarung

Franziska musste grinsen. In puncto Geschmacklosigkeit konnte Frau Ternieden locker mit ihren Töchtern mithalten. Dann konzentrierte sich Franziska wieder auf ihre Arbeit. Der Schreibtisch war peinlich aufgeräumt und in einem Ablagekörbchen lag fein säuberlich ein Stapel Papiere. Franziska ging ihn durch: Es waren leider nur lauter langweilige Prospekte von irgendwelchen neuen Häusern.
Neben dem Schreibtisch standen ein Kopierer und ein Bücherregal, gefüllt mit Telefonbüchern, den Gelben Seiten, Wörterbüchern, trockener Fachliteratur über Betriebswirtschaft und einigen kitschigen Frauenromanen. Aha, hier hatte also Frau Ternieden ihre kleine weibliche Schwäche!
Trotzdem half das Franziska nicht weiter. Langsam wurde sie nervös. Lauter harmlose Dinge, kein einziges Fitzelchen sah hier verdächtig aus, keine Quittung über Bestechungsgelder, nichts! Als ob Frau Ternieden geahnt hätte, dass ihr Büro durchsucht werden würde. Franziska sah sich noch mal in dem Raum um. Doch außer einem geblümten Sofa gab es nur noch ein paar Grünpflanzen und einen Rollcontainer, auf dem ein großer Strauß Astern stand. Franziska bückte sich und guckte sich den Rollcontainer von der Seite an. Da war ja noch eine kleine Tür! Neugierig machte Franziska sie

auf. Innen lagen wieder Papiere. Vorsichtig holte Franziska sie heraus: Rechnungen, private Briefe und Kontoauszüge, ordentlich zusammengeheftet. Franziska setzte sich aufs Sofa und blätterte die Kontoauszüge durch. Die meisten Posten auf der Habenseite waren Eingänge von Kunden, die für die Vermittlung ihrer Immobilien bezahlt hatten. Und die meisten Posten auf der Sollseite waren Abbuchungen von Boutiquen und Schuhläden. Kein Wunder bei den Klamotten von Jette und Julia. Ihre Mutter besaß garantiert mindestens genauso viele Kleider und Schuhe.

Plötzlich stutzte Franziska. Bei einer Abbuchung von fünfhundert Euro stand als Verwendungszweck: »Musik-Coaching«. Das klang doch megaverdächtig. Franziska guckte auf die Uhr und erschrak: schon 15:17 Uhr! Wo war nur die Zeit geblieben? Trotzdem blätterte sie weiter. Vielleicht gab es ja noch eine verdächtige Abbuchung. Da hörte sie auf einmal laute Stimmen unten im Flur.

»Nein, danke«, sagte Marie. »Sie müssen sich wirklich nicht die Mühe machen. Die Telefonnummer vom Reitstall hier in der Nähe bekommen wir auch so heraus.«

»Aber das ist doch gar kein Problem«, sagte Frau Ternieden. Ihre Stimme wurde immer lauter. Gleichzeitig hörte Franziska energische Schritte, die die Treppe heraufkamen.

Franziskas Herz hämmerte gegen die Brust. Panisch stopfte sie die Kontoauszüge in den Rucksack. Dann sah sie sich verzweifelt um. Flüchten konnte sie nicht mehr, dazu war es zu spät. Also blieb nur verstecken übrig, aber wo? Ihr Blick fiel auf das Sofa. Das war die einzige Rettung. Franziska warf sich auf den Boden und robbte in den schmalen Spalt zwi-

schen Boden und Sofarahmen hinein. Verdammt, war das eng!
»Da sind wir auch schon«, sagte Frau Ternieden und ihre Füße in Hausschuhen traten auf Franziskas rechte Hand, die sie nicht rechtzeitig hatte zurückziehen können.
Franziska biss vor Schmerz die Zähne zusammen. Jetzt war alles aus! Frau Ternieden hatte sie entdeckt. Doch die lief seelenruhig weiter zum Bücherregal. Franziska wischte sich den Angstschweiß von der Stirn und lugte unter dem Sofa hervor.
»Wartet, gleich hab ich's«, sagte Frau Ternieden und blätterte in den Gelben Seiten. »Hier ist es! *Reiterhof Blumenau.* Vielleicht hat Tinka ja die Pferde gerochen und ist dorthin gelaufen.« Sie kritzelte die Telefonnummer auf einen Zettel und gab ihn Kim.
»Vielen Dank«, sagte Kim.
Marie nickte. »Jetzt haben wir Sie aber lange genug belästigt.«
»Keine Ursache«, sagte Frau Ternieden. »Ich wünsche euch ganz viel Glück, damit ihr bald Geburtstag feiern könnt.«
»Welchen Geburtstag?«, rutschte es Kim heraus.
Frau Ternieden sah sie verwundert an. »Na, Tinkas Geburtstag natürlich!«
Marie sagte schnell: »Leonie ist so durcheinander, jetzt hat sie doch glatt Tinkas Geburtstag vergessen.«
»Ja, ja«, sagte Frau Ternieden, »bei der ganzen Aufregung ist das auch kein Wunder.«
Die drei verließen das Arbeitszimmer und gingen wieder die Treppe hinunter.

Franziska schnappte nach Luft. Das auch noch! Im letzten Moment hätte Kim beinahe alles verpatzt. Franziska robbte ein Stück unter dem Sofa heraus und lauschte. Unten schlug die Haustür zu, dann hörte sie Schritte, die über den Flur in Richtung Küche gingen. Franziska atmete tief durch. Sie musste es riskieren!

Sie wartete noch ein paar Sekunden und lauschte auf die Geräusche aus der Küche. Leise Musik dudelte zu ihr herauf. Frau Ternieden hatte anscheinend das Radio angestellt. Wunderbar! Franziska rappelte sich hoch, stand auf und rieb sich das schmerzende rechte Handgelenk. Dann holte sie die Kontoauszüge aus ihrem Rucksack und kopierte die Ausdrucke der letzten vier Wochen. Hastig stopfte sie die Kopien in ihren Rucksack und schlich auf Zehenspitzen zur Tür. Die Musik war jetzt ein bisschen lauter und hinter der halb offenen Küchentür klapperten Töpfe. Franziska tastete sich langsam die Treppe hinunter. Bei jeder Stufe zitterten ihre Knie stärker.

Bei der vorletzten Stufe flog plötzlich die Küchentür auf und Frau Ternieden kam heraus.

Franziska erstarrte. Doch Frau Ternieden bemerkte sie nicht und ging fröhlich pfeifend in den Keller hinunter.

Franziska fiel ein Stein vom Herzen. Schnell flitzte sie zur Wohnungstür.

Recherche mit Hindernissen

Zehn Minuten später lagen die drei !!! völlig erledigt auf Kims Bett.

»Das nächste Mal müsst ihr euch aber jemand anderen für die Stunts suchen!«, sagte Franziska. Bei ihrer überstürzten Flucht durch den Vorgarten hatte sie sich auch noch den linken Ellenbogen an einer Brombeerhecke zerkratzt.

Kim klebte ihr ein Pflaster auf die blutenden Risse. »Es gibt hoffentlich so schnell kein nächstes Mal. Der Psychostress hat mich echt fertiggemacht. Ich wäre fast gestorben, als Frau Ternieden in ihr Arbeitszimmer raufgestürmt ist.«

»Die Gute hat wohl eindeutig ein Helfersyndrom«, sagte Marie.

Kim kicherte. »Du hast aber auch deine Rolle perfekt gespielt. Am Schluss hab ich es fast selber geglaubt, dass Tinka weg ist.«

»Malt nicht den Teufel an die Wand!«, sagte Franziska. »Heute Morgen stand sie jedenfalls noch brav in ihrer Box!«

Kim schenkte Cola in drei Gläser. »Aber jetzt erzähl schon! Hast du was gefunden?«

Franziska nickte geheimnisvoll. Dann griff sie in ihren Rucksack und holte die Kopien der Kontoauszüge heraus.

Marie pfiff durch die Zähne. »Mannomann! Da warst du ja echt mutig.«

»Von wegen!«, sagte Franziska. »Ich hab mir vor Schiss fast in die Hosen gemacht, als Frau Ternieden plötzlich raufkam. Sie hat mich nämlich gerade bei einer interessanten Entde-

ckung gestört.« Franziska blätterte die Kopien durch. »Wo war es gleich noch mal? Ah, hier! Seht euch das an: Letzten Mittwoch hat sie fünfhundert Euro für ›Musik-Coaching‹ überwiesen. Der Empfänger ist ein Hans Müller von der Firma *Priori – Uhren und Schmuck*. Das passt doch überhaupt nicht zusammen: ein Uhrenverkäufer, der gleichzeitig Musik-Coaching anbietet?«
Kim musste lachen. »Na ja, völlig unmöglich ist das nicht, wenn ich da an meine Mutter denke. Die macht auch zwei völlig unterschiedliche Dinge: Halbtags arbeitet sie als Grundschullehrerin und nachmittags organisiert sie Wohltätigkeitsbasare.«
»Trotzdem«, sagte Franziska. »Ich finde das mehr als seltsam.«
Marie beugte sich zu Franziska hinüber und blätterte zurück. »Das gibt's nicht! Genau eine Woche davor hat sie auch schon fünfhundert Euro überwiesen, an denselben Empfänger.«
»Hab ich's mir doch gleich gedacht!«, sagte Franziska.
Fieberhaft gingen sie systematisch die ganzen Kopien durch und stießen noch auf eine dritte Überweisung. Wieder lag eine Woche dazwischen und wieder waren Summe und Empfänger identisch.
»Das kann kein Zufall sein«, sagte Kim. »Fünfzehnhundert Euro innerhalb von drei Wochen! So was Ähnliches habe ich mal in einem Krimi gelesen. Da hat der Täter die Bestechungsgelder auch wöchentlich in kleinen Summen überwiesen, um die große Gesamtsumme zu vertuschen.«
»Schade, dass nicht *Youth* die Firma ist«, sagte Marie. »Dann könnten wir Frau Ternieden sofort überführen.«

Franziska seufzte. »Tja, so blöd ist die natürlich nicht. Schließlich kennt sie sich als Maklerin mit Betriebswirtschaft und Recht und dem ganzen Kram aus.«
»Wir müssen weiter recherchieren«, sagte Kim. »Diese Firma *Priori – Uhren und Schmuck* ist wirklich merkwürdig, da hat Franziska Recht.«
»Das ist sicher nur eine Briefkastenfirma«, vermutete Marie. »Das zeigen sie ständig im Fernsehen. Mein Vater hat auch mal eine Folge der *Vorstadtwache* gedreht, wo das vorkam. Jemand, der Bestechungsgelder annimmt oder andere Leute abzocken will, legt sich ein Konto und ein Postfach zu, aber die angebliche Firma dahinter existiert gar nicht. Und wenn sich dann das Opfer beschweren will, findet es bei der Adresse der Firma nur einen Briefkasten in einem ganz normalen Wohnhaus.«
»Wir müssen also herausfinden, ob sich hinter der Tarnfirma tatsächlich *Youth* verbirgt«, sagte Franziska.
Plötzlich schlug sich Kim mit der Hand gegen die Stirn. »Mensch! Warum bin ich da nicht gleich draufgekommen? Ich frage einfach meinen Vater, der kennt sämtliche Uhrenhändler und -firmen der ganzen Stadt und Umgebung. Wenn er die Firma nicht kennt, ist das der Beweis, dass es sie nicht gibt.«
»Eltern sind doch manchmal tatsächlich zu was gut«, sagte Franziska.

Sobald Marie und Franziska weg waren, ging Kim hinüber zum Gartenschuppen. Der Zeitpunkt war günstig. Am späten Nachmittag war ihr Vater immer am gesprächigsten. Da

hatte er seinen Arbeitstag hinter sich und schon eine Stunde an seinen Kuckucksuhren gebastelt.
Kim klopfte an die Tür.
»Hereinspaziert!«, antwortete ihr Vater. Seiner Stimme nach zu urteilen schien er gut gelaunt zu sein.
Kim lief zu ihm hin und legte die Arme um seinen Hals. »Hallo, Paps!«
»Hallo, Kim-Schatz«, sagte Herr Jülich.
»Ich hab dir was mitgebracht«, sagte Kim und zog eine Tüte Gummibärchen aus ihrer Hosentasche, die sie sich extra heute bei den Hausaufgaben verkniffen hatte.
Ihr Vater rieb sich den Bauch. »Du bist gemein, du weißt doch ganz genau, dass ich da nicht widerstehen kann.« Gierig riss er die Tüte auf und stopfte sich eine Handvoll Gummibärchen in den Mund.
»Witziges Teil!«, sagte Kim und deutete auf die knallgelbe Kuckucksuhr, an der ihr Vater gerade bastelte.
Herr Jülich grinste. »Deswegen bist du aber sicher nicht gekommen. Jetzt rück schon raus damit! Wo drückt der Schuh?«
»Ich hab nur zwei kleine Fragen«, sagte Kim. »Kennst du zufällig eine Uhrenfirma, die *Priori – Uhren und Schmuck* heißt?«
Herr Jülich überlegte. »*Priori*? Nie gehört. Wieso willst du das denn wissen?«
Kim wich der Gegenfrage aus. »Den Besitzer kennst du auch nicht? Er heißt Hans Müller.«
Ihr Vater schüttelte den Kopf. »Nein, der Name sagt mir gar nichts, dabei war ich neulich erst wieder auf einem Uhrma-

cherkongress und hab so ziemlich jeden aus der Branche getroffen. Aber warum interessiert dich das plötzlich?«
»Nur so«, sagte Kim. »Ich muss ein Referat in Physik machen und hab überlegt, ob ich Uhren als Thema wähle. Ich hab mal im Netz gegoogelt und bin auf den Firmennamen gestoßen. Macht nichts! Bestimmt hab ich die falschen Suchbegriffe eingegeben.«
Herr Jülich nickte. »Mag sein. Mir ist ja das Internet sowieso suspekt. Das ist doch die reinste Info-Müllhalde. Wenn man mal wirklich eine ganz bestimmte Information braucht, findet man sie garantiert nicht.«
»Hm«, machte Kim, weil sie sich nicht auf eine Diskussion übers Internet einlassen wollte. Ihr Vater war in der Hinsicht rettungslos altmodisch.
»Frag lieber mich«, sagte ihr Vater, »wenn du was wissen willst. Ich helf dir gern weiter.«
Kim drückte ihm einen Kuss auf die Stirn. »Lieb von dir, danke! Aber vielleicht nehme ich ja doch ein anderes Thema.«
Herr Winkler pulte ein rotes Gummibärchen aus der Tüte und steckte es sich in den Mund. »Aber verrate Mama bloß nichts davon!«
Kim lachte. »Versprochen!« Dann verabschiedete sie sich schnell, bevor sie sich noch mehr in Notlügen verstrickte.
Als sie zurück zum Haus ging, schwankte sie zwischen Erleichterung und Enttäuschung. *Priori* war also wirklich eine Tarnfirma. Ihr Vater hatte ein phänomenales Namensgedächtnis und kannte seine Branche in- und auswendig. An seiner Aussage gab es nichts zu rütteln. Aber was hieß das

jetzt für die Ermittlungen? Sie waren genauso schlau wie zuvor! Wie sollten sie jemals herausfinden, ob *Youth* hinter der Tarnfirma steckte?
Auf ihrem Zimmer schickte Kim eine Nachricht mit der Info ihres Vaters an Marie und Franziska und schrieb am Schluss: *Wie geht's weiter???*
Eine Minute später hatte sie von beiden eine Antwort.

Steh auch grade auf dem Schlauch. Ich denk drüber nach!
Die Kopien sind sicher verwahrt. Ich hab sie in die Geheimschublade unseres Containers eingeschlossen.
Franzi

Haben wir es nicht geahnt mit der Tarnfirma? Wir könnten Kommissar Peters einschalten, den Freund meines Vaters.
Ich frag ihn, ob wir bei ihm im Präsidium vorbeischauen können. Der findet den Namen, der sich hinter der Tarnfirma verbirgt, sicher heraus.
Marie

Sofort simste Kim an beide zurück: *Geniale Idee!*

Marie war stolz darauf, dass sie gleich einen Termin bei Kommissar Peters bekommen hatte. Der Kommissar hatte bereits ihren ersten Fall übernommen. Damals war er ziemlich beeindruckt von ihrer tollen Arbeit gewesen.
Als die drei !!! im Präsidium erschienen, begrüßte er sie wie alte Bekannte. »Schön euch zu sehen! Setzt euch doch. Cola gefällig?«

Die drei !!! nickten.
Kommissar Peters schenkte ihnen ein und holte sich selber einen Kaffee. »Marie wollte am Telefon nicht erzählen, worum es geht, aber ich nehme stark an, dass ihr an einem neuen Fall dran seid.«
»Stimmt«, sagte Kim. »Im Moment können wir noch nichts Genaues verraten, weil wir mitten in den Ermittlungen stecken. Nur so viel: Wir haben eine heiße Spur und es geht um Bestechung. Leider fehlt uns der entscheidende Beweis.«
Kommissar Peters grinste. »Das kenne ich! Da braucht man viel Geduld und darf sich nicht von der Spur abbringen lassen.«
»Deshalb sind wir heute auch hier«, sagte Marie.
Franziska gab dem Kommissar die Kopien der Kontoauszüge. »Dieses Material haben wir zufällig in die Hände bekommen. Uns sind drei Abbuchungen aufgefallen, dreimal an denselben Empfänger. Wir wissen, dass es sich bei *Priori* um eine Tarnfirma handelt, aber wir konnten leider nicht herausfinden, wer dahintersteckt. Können Sie uns da weiterhelfen?«
Kommissar Peters sah sich die Kontoauszüge genauer an, dann musterte er die drei !!! über den Rand seiner Brille hinweg. »*Zufällig* habt ihr die Auszüge in die Hände bekommen?«
»Ja«, sagte Franziska mit fester Stimme und Marie nickte dazu. Nur Kim bückte sich schnell, um ihre Schuhbänder neu zu binden, obwohl sie gar nicht offen gewesen waren.
Die drei !!! hatten vereinbart dem Kommissar lieber nichts von ihrer Hausdurchsuchung zu erzählen. Schließlich wuss-

ten sie nur zu gut, dass sie sich da auf illegalem Terrain bewegt hatten.
»Ich würde euch wirklich gerne helfen«, sagte Kommissar Peters, »aber leider kann ich das Bankgeheimnis nicht umgehen.«
»Bankgeheimnis?«, fragte Franziska. »Das gilt doch nicht für die Polizei!«
»Leider schon«, sagte Kommissar Peters. »Um an die Stammdaten des Empfängers zu kommen, müsste ich über die Staatsanwaltschaft einen richterlichen Beschluss beantragen, und so etwas tun wir in der Regel nur, wenn akute Gefahr im Verzug ist, also zum Beispiel bei Terrordelikten oder Geldwäsche.«
Die drei !!! sahen sich enttäuscht an.
Marie setzte ihren verführerischen Augenaufschlag ein. »Können Sie nicht für uns eine Ausnahme machen? Bitte!«
Doch ihr Trick prallte am Kommissar ab. »Nein! Und dabei bleibt es auch. Ihr müsst einen anderen Weg finden, eure Spur zu verfolgen. Wollt ihr mir nicht doch etwas mehr von eurem Fall erzählen? Vielleicht kann ich euch ja einen anderen Tipp geben, der euch weiterbringt?«
Die drei !!! tauschten einen Blick und waren sich schnell einig.
»Nein, danke«, sagte Kim.
»Danke, dass Sie sich für uns Zeit genommen haben«, sagte Marie.
Die drei !!! standen auf und verabschiedeten sich von Kommissar Peters.
Der lächelte sie an. »Nichts für ungut. Ihr könnt jederzeit

kommen und mich oder meinen Kollegen, Polizeimeister Conrad, um Rat fragen. Und bitte kommt, *bevor* es gefährlich wird!«

»Klar«, murmelte Franziska.

»Ich bin schon sehr gespannt auf euren neuen Fall«, sagte Kommissar Peters. »Wer weiß, vielleicht sehen wir uns ja schon bald wieder?«

»Ja, wer weiß«, sagte Marie, aber eigentlich glaubte sie nicht so recht daran. Sie waren mit dem Fall in einer Sackgasse gelandet.

Treffen der Komplizen

Kim drehte ihr Handy in der Hand herum und starrte auf die Nummer auf dem Display. Sollte sie anrufen oder doch lieber nicht? Schon ewig hatte sie nichts mehr von Michi gehört. Das letzte Mal hatte sie ihn bei Franziska gesehen, als er ihnen geholfen hatte den Pferdeschuppen auszumisten. Und jetzt würde sie ihn wieder um Hilfe bitten. Vielleicht kam er sich ja ausgenutzt vor …

Kim seufzte. Wenn sie ihn nur nicht so vermissen würde!

Da klopfte es an die Tür und die Zwillinge stürmten herein.

»Dürfen wir an deinen Computer?«, bettelte Lukas.

»Nur für fünf Minuten!«, sagte Ben. »Wir versprechen dir auch, dass wir nie wieder in dein Zimmer gehen, wenn du nicht da bist. Und von Michi reden wir auch nie mehr.«

Kim schüttelte den Kopf. »Kommt nicht in Frage. Das hättet ihr euch früher überlegen müssen.«

»Manno!«, sagte Ben. »Es tut uns leid.«

»Entschuldige!«, sagte Lukas.

Die Zwillinge guckten Kim mit kullerrunden, unschuldigen Augen an.

Aber Kim fiel nicht darauf herein. »Eure Entschuldigung nehme ich gerne an, aber jetzt müsst ihr trotzdem gehen. Ich hab zu tun.«

»Schreibst du wieder in dein geheimes Tagebuch?«, fragte Ben.

Kim hob drohend ihr Wörterbuch hoch. Daraufhin zogen sich die Zwillinge endlich zurück. Sie sperrte die Tür hinter

ihnen zu. Dann gab sie sich einen Ruck und drückte mit zitternden Fingern die Wahlwiederholung.
Schon nach dem zweiten Freizeichen ging Michi dran. »Hallo?«
Kims Herz machte einen Sprung. »Ich bin's, Kim. Hast du kurz Zeit?«
»Klar«, sagte Michi. »Worum geht's denn?«
»Um einen neuen Fall«, sagte Kim. »Du musst aber alles, was ich dir erzählen werde, für dich behalten, okay?«
»Ehrenwort!«, sagte Michi.
Kim berichtete in groben Zügen von ihrem Verdacht, was sie bisher herausgefunden hatten und von den Kontoauszügen. »Und jetzt stecken wir leider fest«, sagte sie am Schluss. »Wir waren gerade bei Kommissar Peters, aber der konnte uns auch nicht weiterhelfen.«
»Und du meinst, ich kann euch helfen?«, fragte Michi.
»Ja«, sagte Kim, »aber natürlich nur, wenn du Zeit und Lust hast.«
Michi lachte. »Natürlich hab ich Lust. Und Zeit hab ich auch. Die Eisdiele, in der ich gejobbt hab, hat letzte Woche geschlossen, wegen Winterpause.«
Kims Herz machte noch einen Sprung. »Du bist unsere Rettung! Also, wir brauchen jemand, den Frau Ternieden noch nicht kennt und bei dem sie nicht misstrauisch wird. Wir haben uns Folgendes überlegt …«
Michi hörte geduldig zu. »Der Plan klingt gut. Und wann soll das Ganze steigen?«
»Morgen um 14 Uhr«, sagte Kim.
»Gut«, sagte Michi. »Ihr könnt euch auf mich verlassen.«

Kim kniff sich in den Arm, um nicht laut loszujubeln. »Danke!«

Punkt 14 Uhr saßen die drei !!! mit Sonnenbrillen im *Café Lomo*, nippten an ihren Colagläsern und raschelten mit ihren Zeitungen. Um diese Zeit war das Café fast leer. Nur ein schmusendes Pärchen und ein Mann um die fünfzig saßen da. Die Bedienung, eine junge Studentin, gähnte gelangweilt vor sich hin. Die drei !!! dagegen waren hellwach.
»Hoffentlich geht Frau Ternieden heute auch aus dem Haus«, sagte Franziska.
»Garantiert«, sagte Marie. »Heute ist doch wieder Zahltag. Bis jetzt hat sie jeden Mittwoch Geld überwiesen. Und auf dem Kontoauszug stand kein Extra-Vermerk, dass sie Telefonbanking oder Homebanking gemacht hat.«
Franziska trommelte mit den Fingern auf den Tisch. »Wenn wir doch wenigstens etwas tun könnten! Stattdessen müssen wir hier hilflos herumsitzen und warten.«
»Michi ist absolut zuverlässig«, sagte Kim. »Er wird garantiert das Richtige tun.«
»Hoffentlich«, seufzte Marie. »Vielleicht hätten wir doch lieber Stefan fragen sollen. Schließlich ist er schon achtzehn und Michi ist erst sechzehn.«
Kim guckte Marie wütend an. »Wir waren uns doch einig, dass Michi besser geeignet ist. Mit seinen Sommersprossen und dem süßen Lächeln sieht er viel harmloser und netter als Stefan aus.«
»Jetzt fangt bitte nicht an zu streiten!«, rief Franziska. »Das halte ich nicht aus.«

In dem Moment klingelte Kims Handy. Sofort ging sie ran. »Hallo? … Michi! … Okay … Alles klar … Was? In zehn Minuten? Ja … verstanden. Wir übernehmen. Bis später, ciao, Michi!«
»Was hat er gesagt?«, fragte Marie neugierig.
»Du siehst auf einmal so blass aus!«, rief Franziska besorgt.
Kim schluckte. »Frau Ternieden hat tatsächlich wieder fünfhundert Euro an Hans Müller überwiesen. Michi stand neben ihr am Überweisungs-Terminal und konnte ihr über die Schulter sehen, ohne dass sie es gemerkt hat. Aber jetzt kommt der Hammer: Er hat zugehört, wie sie gerade am Handy mit jemandem gesprochen hat. Sie trifft sich mit dieser Person in zehn Minuten hier im *Café Lomo.* Und sie will angeblich über das Musik-Coaching reden!«
Franziskas Augen blitzten. »Das ist doch wunderbar! Wir bekommen Michael Martens und Frau Ternieden auf dem Präsentierteller serviert. Jetzt brauchen wir uns nur noch in die Sofaecke dahinten zurückzuziehen und die beiden zu belauschen.«
»Geniale Idee!«, rief Marie.
Plötzlich sprang Kim auf. »Ich lauf schnell nach Hause und hol meine Digitalkamera und das Aufnahmegerät von meiner Mutter.«
»Aber beeil dich!«, sagte Franziska.
»Klar«, sagte Kim und düste los.
Marie und Franziska wechselten in die Sofaecke hinüber und kuschelten sich so tief wie möglich in die Polster, damit man sie nicht sehen konnte. Dann saßen sie wie auf heißen Kohlen und schauten immer wieder nervös auf die Wanduhr im

Café. Als die Tür aufging, zuckten sie zusammen. Zum Glück war es Kim. Keuchend ließ sie sich in die Sofaecke plumpsen.
»Ich hab alles dabei!« Geschickt hantierte sie mit dem Aufnahmegerät und stellte es so ein, dass sie nur noch die Pausentaste lösen musste, um aufnehmen zu können. Dann machte sie die Digitalkamera startklar.
Marie behielt inzwischen die Bedienung im Auge. Die gähnte immer noch ständig und interessierte sich überhaupt nicht für die drei !!!. Da tauchte auch schon Frau Ternieden im Türrahmen auf.
»Feind in Sicht!«, flüsterte Marie und zog schnell ihren Kopf zurück. Kim löste die Pausentaste.
»Wo wollen wir uns hinsetzen?«, fragte Frau Ternieden.
»An die Bar?«, antwortete eine Frauenstimme.
Die drei !!! sahen sich verblüfft an. Das war gar nicht Michael Martens, das war Terry! Marie musste grinsen. Sie hatte also doch Recht behalten. Michael war nicht bestechlich. Aber Terry hätte sie so was auch nicht zugetraut. Hatte Michael deswegen auf der Party mit Terry gestritten?
Die Frauen ließen sich auf den Barhockern nieder. Sie hätten keinen günstigeren Platz auswählen können. So schauten sie auf das Regal mit den Flaschen und nahmen die Umgebung kaum wahr. Kim hob langsam ihre Digitalkamera und knipste das erste Foto, vorsichtshalber ohne Blitz. Frau Ternieden und Terry stießen gerade mit Proseccogläsern an.
»Auf unseren Deal!«, sagte Terry.
»Auf Julia und Jette!«, sagte Frau Ternieden. »Die beiden werden bald ganz große Stars. Vielen Dank noch mal für

Ihre Hilfe! Die fällige Rate habe ich übrigens gerade an Sie überwiesen.«
Terry nickte. »Sehr schön. Dann will ich Sie mal nicht länger auf die Folter spannen. Die zweite Castingrunde wird ein bisschen anders als die erste ablaufen.«
»Inwiefern?«, fragte Frau Ternieden.
Während Terry erzählte, schoss Kim ein Foto nach dem anderen.
»Also«, sagte Terry. »Ihre Töchter haben ja wie alle anderen Kandidatinnen einen Brief bekommen, in dem steht, dass sie für das zweite Casting einen Song vorbereiten sollen.«
»Ja, genau«, sagte Frau Ternieden. »Ich habe mit Jette und Julia auch was ganz Tolles einstudiert …«
Terry unterbrach sie: »Vergessen Sie es, egal was Sie mit den beiden einstudiert haben. Wir werden unsere Bewerberinnen nämlich mit einer Überraschung konfrontieren. *Afternoon* hat extra einen Song komponieren lassen, den die Mädchenband später auf dem Sender singen soll. Jeweils vier Bewerberinnen bekommen Text und Noten vorgelegt, müssen selbstständig die Stimmen verteilen und den Song spontan vom Blatt singen. Wir wollen sehen, wie gut die Mädchen das können und wie sie mit so einer Stresssituation umgehen. Dabei können sich auch die Mädchen hervortun, die Führungsqualitäten haben.«
Frau Ternieden stürzte den Rest ihres Proseccos hinunter. »Das ist nicht Ihr Ernst, oder?«
»Doch«, sagte Terry. »Der Song ist übrigens rhythmisch gar nicht leicht und hat in der Melodie größere Intervallsprünge drin. Aber keine Panik! Jette und Julia müssen nicht wie die

anderen ins kalte Wasser springen. Ich hab den Song für sie dabei.« Sie holte ein Blatt Papier aus der Tasche und gab es Frau Ternieden.
Kim hielt die komplette Übergabe mit einem Kurzfilm auf der Kamera fest.
»Tausend Dank«, sagte Frau Ternieden und überflog das Notenpapier. »Der Song hat es echt in sich! Sie haben mir einen großen Gefallen getan. Ich werde dafür sorgen, dass Jette und Julia den Song im Schlaf singen können! Und Jette wird die Führung innerhalb der Gruppe übernehmen, sie ist geradezu prädestiniert dafür.«
»Aber passen Sie auf«, sagte Terry. »Es darf nicht zu perfekt rüberkommen, sonst fällt es sofort auf.«
Frau Ternieden lächelte. »Verstehe. Verlassen Sie sich ganz auf mich, ich werde das perfekt … das heißt natürlich nicht perfekt umsetzen. Kein Mensch wird merken, dass meine Töchter den Song vorher schon mal gesehen haben.«
»Ach, und noch etwas«, sagte Terry. »Es ist zwar eine langsame Ballade, aber *Afternoon* möchte, dass sie frech und ein bisschen zickig rüberkommt.«
»Alles klar«, sagte Frau Ternieden. »Kein Problem.«
Plötzlich stand Terry auf. Kim duckte sich gerade noch rechtzeitig mit ihrer Kamera.
Frau Ternieden gab Terry die Hand. »Ich weiß gar nicht, wie ich Ihnen danken soll!«
Terry winkte ab. »Keine Ursache. Also dann, viel Erfolg!« Ohne zu bezahlen, verließ sie schnell das Lokal.
Frau Ternieden starrte ihr noch eine Weile nach. Dann drehte sie sich um, bezahlte die Proseccos und ging ebenfalls.

Kim drückte auf die Stopptaste des Aufnahmegeräts und die drei !!! tauchten wieder von ihrem Sofa auf.
»Ich glaub's einfach nicht!«, murmelte Kim. »Wir waren die ganze Zeit hinter dem Falschen her.«
Marie grinste. »Das hab ich euch doch gleich gesagt!«
»Wir haben den Fall gelöst«, rief Franziska. »Das Beweismaterial reicht dicke, um die beiden Betrügerinnen anzuzeigen.«
Marie klopfte Kim auf die Schulter. »Das glaube ich allerdings auch. Tolle Arbeit, Kim! Richtig professionell.«
»Danke«, sagte Kim. »Meine Mutter ist zum Glück heute Nachmittag und Abend auf einem Wohltätigkeitsbasar. Sie wird hoffentlich nicht merken, dass ich mir ihr Aufnahmegerät ausgeliehen habe.«
»Und?«, fragte Franziska. »Gehen wir jetzt zu Kommissar Peters?«
»Ja, klar«, sagte Kim.
Doch Marie hielt sie am Arm zurück. »Wartet! Wir wollen uns doch die ganz große Show nicht entgehen lassen! Übermorgen ist die zweite Castingrunde. Da können wir Terry und Frau Ternieden auf frischer Tat ertappen und nebenbei auch noch Jette und Julia einen Denkzettel verpassen, den sie garantiert ihr ganzes Leben lang nicht vergessen werden.«
»Du willst dich an ihnen rächen, gib's zu!«, sagte Kim.
Marie warf ihre Haare schwungvoll nach hinten. »Das gebe ich gern zu. Die beiden haben mich aber auch lange genug genervt. Ja, ich will Rache, und zwar im Namen der Gerechtigkeit!«
Franziska kicherte. »Ehrlich gesagt freu ich mich auch schon

auf die dämlichen Gesichter dieser Zicken. Und ich finde, alle anderen Mädchen sollten auch mitkriegen, dass das Casting nicht fair abläuft. Sicher gibt es viele, die genau wie Marie gut singen, aber trotzdem nicht in die nächste Runde kommen.«

»Muss das wirklich sein?«, fragte Kim. »So ein Casting ist doch ein Riesenrummel. Alle werden uns anstarren und wir müssen vor laufenden Kameras mitten in das Casting platzen.«

»Ist doch super«, sagte Marie. »Dann werden die drei !!! endlich berühmt.«

Kim schüttelte den Kopf. »Na toll, und wenn uns jeder kennt, können wir in Zukunft nicht mehr ungestört ermitteln.«

»Da ist was dran«, sagte Franziska.

Marie schnippte mit den Fingern. »Ich hab's! Vor laufender Kamera sagen wir natürlich nicht, dass wir ein Detektivclub sind. Und Kommissar Peters muss uns auch versprechen, dass er nichts davon in die Zeitung bringt. So wird zwar jeder von uns hören und lesen, aber keiner wird erwarten, dass wir andere Fälle lösen. Wir sind eben rein zufällig auf diesen Betrug beim Casting gestoßen, weil ich selbst betroffen war.«

Kim zögerte. Sie fand die Lösung immer noch nicht toll. Am meisten störte sie daran, dass sie im Mittelpunkt stehen würde. Neben Lügen gab es nichts, was sie mehr hasste als das.

»Bitte!«, sagte Marie und klimperte mit ihren Wimpern. »Gönn mir den Triumph.«

Kim musste lachen. »Okay. Ihr habt mich überstimmt.«

»Und jetzt gehen wir zu dir«, sagte Franziska, während sie in

ihre Jacke schlüpfte. »Ich will unbedingt das Band abhören und die Fotos sehen.«
Kim nickte. »Aber nur unter einer Bedingung: Michi muss auch dabei sein. Schließlich haben wir es ihm zu verdanken, dass wir jetzt das Geständnis der beiden auf Band haben.«
»Klar«, sagte Marie. »Ruf deinen Michi schon an!«

Eine Stunde später drängelten sich Michi und die drei !!! vor Kims Computer, nachdem sie sich die Kassette mit dem Beweismaterial angehört hatten. Die Kassette rauschte zwar ziemlich, aber man konnte jedes Wort der beiden Frauen verstehen.
Jetzt spielte Kim die Fotos auf ihren Computer und klickte auf »Diashow«. Da erschien auch schon das erste Bild: Frau Ternieden und Terry mit ihren Proseccogläsern. Der Hintergrund war zwar etwas dunkel, doch die Personen waren scharf und gut zu erkennen.
»Wow!«, rief Michi. »Das ist ja toll geworden.«
Kim wurde ein bisschen rot. »Danke. Leider konnte ich keinen Blitz verwenden, das wäre zu sehr aufgefallen.«
»Das stört doch überhaupt nicht«, sagte Michi, während ein Bild nach dem anderen auf dem Bildschirm erschien. »Die Fotos sind super. Du solltest später mal Fotografin werden!«
»Meinst du?«, fragte Kim und sah Michi tief in die Augen.
»Ja, klar«, sagte Michi. »Du bist richtig begabt.«
Franziska legte den Arm um Kim. »Nichts da! Später werden die drei !!! Profidetektive und Kim leitet unser Detektivbüro. Fotografieren wird sie natürlich weiterhin, aber nur für unsere Detektivarbeit.«

Kim machte sich von ihrer Freundin los. »Was soll das? Vielleicht werde ich später ja doch Krimiautorin.«
Michi sah sie interessiert an. »Du schreibst, du fotografierst und kennst dich mit Technik aus? Jetzt bin ich echt geplättet. Kim, du bist ein Genie!«
»Hör auf!«, sagte Kim, aber ihre Augen strahlten Michi an.

Sorgen um Franziska

Geheimes Tagebuch von Kim Jülich
Mittwoch, 19:32 Uhr
Michi hat mich gelobt, er hat mir Komplimente gemacht! Ich glaube, er bewundert mich wirklich. Er war ehrlich überrascht und begeistert. Wie er mich angelächelt hat! Meine Knie haben total gezittert und ich wäre ihm am liebsten sofort in die Arme gefallen. In seine starken Arme …
Heute hat Michi fast nur mit mir geredet, Marie und Franzi hat er kaum beachtet. Vielleicht mag er mich ja doch ein bisschen mehr als sie. Ich würde es mir so wünschen. Ich muss es schaffen, dass er mich jeden Tag noch ein Stückchen mehr mag. Unsere Freundschaft wird wachsen und irgendwann verliebt Michi sich ganz von selbst in mich. Da kann er dann gar nichts mehr dagegen tun.
Hab ich so was nicht schon mal in einem Krimi gelesen? Dass eine Frau einen Mann dazu gebracht hat, sich in sie zu verlieben? Ja, das war einer von diesen englischen Krimis mit bösem schwarzem Humor. Am Schluss hat die Frau den Mann umgebracht, weil sie genug von seiner Liebe hatte. So was würde ich natürlich nie tun!
Michi, ich freu mich so! Michi, Michi, Michi!

Ein bisschen mulmig war Marie schon, als sie am nächsten Nachmittag bei Ramona klingelte. Andererseits wollte sie es endlich hinter sich bringen. Entschlossen drückte sie auf die Klingel.

Ramona machte die Tür auf. »Du? Das ist ja eine Überraschung.«
»Kann ich reinkommen?«, fragte Marie.
Ramona nickte. »Klar. Du kommst gerade richtig. Meine Nerven liegen schon wieder total blank. Ich hab das Gefühl, ich kann überhaupt nicht singen.«
»So ein Quatsch!«, meinte Marie und folgte Ramona hinauf in ihr Zimmer.
Dort war das Chaos ausgebrochen. Überall auf dem Boden verstreut lagen Noten, Kleider und Schuhe. Nur der Raum rund ums Keyboard war frei.
Ramona setzte sich sofort an ihr E-Piano und schlug ein paar Takte an. »Hör mal, soll ich den Song von Madonna nicht doch noch nach unten transponieren? Dann fühle ich mich wohler. Meine Mutter ist natürlich dagegen, die will, dass ich so hoch singe wie möglich.«
Marie legte Ramona die Hand auf die Schulter. »Du, ich muss dir was Wichtiges sagen.«
Ramona klimperte weiter auf dem Keyboard herum. »Jetzt nicht.«
Aber Marie ließ nicht locker. »Bitte!«
Da hörte Ramona endlich auf zu spielen. »Du siehst ja so ernst aus. Was ist los? Ist was Schlimmes passiert?«
»Nein«, sagte Marie. »Ich muss dir nur was beichten.«
Ramona sah sie fragend an. »Dann leg mal los. Ich reiß dir schon nicht den Kopf ab.«
Marie holte tief Luft und fing an: »Du hast dich sicher gewundert, warum ich in letzter Zeit so komisch zu dir war und dir dauernd ausgewichen bin.«

»Na ja«, sagte Ramona. »Ich dachte, es ist dein Frust wegen des Castings.«
»Nein«, sagte Marie. »Mein Frust hat zwar auch mit reingespielt, aber eigentlich gab es einen anderen Grund. Kim, Franzi und ich sind da bei der ersten Castingrunde auf etwas gestoßen. Wir hatten plötzlich den Verdacht, dass da was falsch läuft. Genauer gesagt, dass jemand die Jury besticht, um weiterzukommen. Zuerst haben Kim und Franzi gedacht, dass deine Mutter versucht hat Michael Martens zu bestechen.«
»Was?«, rief Ramona. »Ticken die nicht richtig?«
»Das hab ich ihnen am Anfang auch gesagt«, antwortete Marie. »Aber dann haben sie mir erzählt, dass deine Mutter einen Termin mit Michael Martens ausgemacht hat. Und ab dem Moment war ich mir nicht mehr so sicher.«
Ramona schnappte nach Luft. »Du denkst, meine Mutter ist eine Verbrecherin?«
»Jetzt nicht mehr«, sagte Marie, »und es tut mir auch total leid, dass ich sie überhaupt verdächtigt habe. Inzwischen weiß ich – wissen wir –, dass deine Mutter unschuldig ist.«
»Na toll!«, sagte Ramona. »Da hab ich ja gerade noch mal Glück gehabt, dass ihr sie nicht hinter Gitter gebracht habt.«
Marie biss sich auf die Lippe. »Entschuldige! Es tut mir wirklich leid, das musst du mir glauben. Aber Kim, Franzi und ich … na ja, wir haben inzwischen den wahren Täter ausfindig gemacht. Erinnerst du dich an Julia und Jette Ternieden?«
»Die grottenschlechten Schwestern?«, fragte Ramona.
Marie nickte. »Ihre Mutter hat Terry aus der Jury bestochen.«

»Das gibt's nicht!«, rief Ramona. »Woher wollt ihr das wissen?«
»Wir haben eindeutige Beweise«, sagte Marie. »Mehr kann ich dir heute leider noch nicht verraten. Aber wir werden morgen bei der zweiten Castingrunde Frau Ternieden und Terry entlarven.«
Ramona schüttelte den Kopf. »Ehrlich gesagt wird mir das alles gerade zu viel. Seid ihr Profischnüffler oder so was? Vermutet ihr bei allen Leuten immer das Schlimmste?«
»Nein«, sagte Marie. »Wir interessieren uns nur für Krimis und Detektivsachen und so.« Bewusst vermied sie es, den Detektivclub zu erwähnen. »Kannst du mir verzeihen? Ich wollte dich nicht verletzen und deine Mutter wollte ich auch nicht in Schwierigkeiten bringen – ehrlich!«
Ramona starrte Marie an und schwieg.
»Bitte, sag doch was!«, rief Marie.
Ramona schwieg immer noch. Dann endlich meinte sie: »Du bist echt durchgeknallt, aber ich mag dich trotzdem.«
Marie fiel ein Riesenstein vom Herzen. »Danke!«
»Schon gut«, sagte Ramona. »Und was heißt das jetzt? Werden Jette und Julia wirklich von der Jury bevorzugt?«
»Ja«, sagte Marie. »Aber mach dir keine Sorgen, wir werden morgen dafür sorgen, dass das ein Ende hat und das Casting fair weiterläuft. Du hast also nach wie vor gute Chancen, in die letzte Runde zu kommen.«
Ramona stöhnte. »Ich darf gar nicht dran denken! Ich bin doch eh schon so aufgeregt, und dann auch noch dieser Betrug! Braucht ihr eigentlich Hilfe oder wollt ihr das wirklich alleine durchziehen?«

»Entspann dich«, sagte Marie. »Du musst gar nichts tun, das heißt, du musst einfach nur singen!« Für eine Sekunde überlegte sie, ob sie Ramona doch noch von dem Überraschungssong erzählen sollte, aber dann blieb sie stark. Sie wollte sich auf keinen Fall von Terry und Frau Ternieden anstecken lassen. Wenn Ramona gewinnen würde, dann sollte sie auch unter absolut fairen Bedingungen gewinnen.

»Ich muss dir übrigens auch was beichten«, sagte Ramona.

»Was denn?«, fragte Marie verwundert.

»Egal wie das Casting laufen wird«, erzählte Ramona. »Ich werde weiter an meiner Karriere arbeiten und meine Mutter hilft mir dabei. Ich werde eine Demo-CD produzieren, solo, ohne Band. Mama bezahlt die Kosten und wir gehen ins Studio von …«

»… Michael Martens?«, beendete Marie den Satz.

Ramona nickte. »Erraten! Klingelt es jetzt bei dir?«

»Logisch«, sagte Marie. »Deshalb war deine Mutter also bei *Youth*!«

Ramona grinste. »Ja, sie hatte ein erstes Gespräch mit ihm. Michael Martens hat ihr einen Kostenvoranschlag gemacht und ihr Infos gegeben, wie so eine Aufnahme im Studio abläuft.«

»Das ist ja toll«, sagte Marie. »Und wann soll's losgehen?«

Ramona zuckte mit den Schultern. »Das hängt noch vom Casting ab. Wenn ich nicht weiterkomme, gehen wir sicher früher ins Studio, wenn doch, übernimmt ja vielleicht *Afternoon* die Promotion.«

»Ramona, der neue Star am Pophimmel!«, rief Marie begeistert.

»Hör auf!«, sagte Ramona. »Meine Mutter redet auch ständig davon. Sie will mich ganz groß rausbringen und ist total hinterher, dass ich auch ja meine drei Stunden am Tag übe.«
Marie riss die Augen auf. »So viel? Ist das nicht megastressig?«
»Ich kenne es nicht anders«, sagte Ramona. »Aber lass uns von was anderem reden. Wie findest du es eigentlich, dass ich *Like a Virgin* von Madonna vorsinge?«
»Toll!«, sagte Marie. »Lass doch mal hören!«
Ramona drehte sich wieder zum Keyboard um und fing an zu spielen. Schon beim ersten Takt stieg sie voll in den Rhythmus ein. Marie wippte automatisch mit der Zehenspitze im Takt mit. Dann sang Ramona. Sie sang ganz anders als Madonna und schwankte doch genauso zwischen Unschuld und raffiniertem Spiel. Nur zweimal traf sie einen Ton nicht richtig, aber ansonsten sang sie das Lied flüssig durch.
Am Schluss klatschte Marie in die Hände. »Bravo!«
»War es okay?«, fragte Ramona.
»Okay?«, rief Marie. »Du warst superspitzenklasse!«
Ramona lachte.
Da klopfte es an der Tür und ihre Mutter kam herein. »Schatz, lass uns noch mal die Performance durchgehen.«
Sofort verging Ramona das Lachen. »Muss das sein?«
»Ja, das muss sein«, sagte Frau Freiberg. »Ach – du hast Besuch? Marie, schön dich mal wiederzusehen. Wie geht es deinem Vater?«
»Gut«, sagte Marie. »Ich geh dann mal.«
»Bist du morgen da und drückst mir die Daumen?«, fragte Ramona.

Marie nickte. »Ich bin da, darauf kannst du dich verlassen, hundertprozentig.«

Detektivtagebuch von Kim Jülich
Donnerstag, 16:34 Uhr
Ich bin am Ende! Zwei Jobs parallel – Schule und Detektivarbeit – schlauchen auf Dauer total. Vor allem wenn einem die Zeit davonläuft. Morgen ist schon die zweite Castingrunde und bis dahin muss alles perfekt sein. Obwohl wir uns die Arbeit aufgeteilt haben, blieb doch wieder das meiste an mir hängen. Heute hab ich die Abzüge der Fotos abgeholt. Sie sind gut geworden, zum Glück nicht zu dunkel. Die Speicherkarte aus meiner Digitalkamera hab ich auch schon rausgeholt und die Kassette aus dem Aufnahmegerät und beide Datenträger beschriftet. Mama hat wirklich nicht gemerkt, dass ich ihr Aufnahmegerät ausgeliehen habe. Sie hat den Kopf immer noch voll mit ihrem Wohltätigkeitsbasar.
Marie hat Kommissar Peters informiert. Der wollte natürlich noch alle technischen Details wissen und hat wieder mich angerufen.
Bei der Vorstellung, morgen im Rampenlicht zu stehen, wird mir immer noch schlecht. Am liebsten würde ich einen Klon von mir hinschicken oder Marie damit beauftragen, dass sie als »Hercule Poirot« alleine den Fall auflöst. Aber das geht natürlich nicht. Schließlich sind wir die drei !!! und nicht ein ! oder zwei !!.
Hoffentlich klappt alles! Und hoffentlich kommt uns nicht irgendetwas dazwischen. In Krimis ist das ja häufig so, dass kurz vor der Auflösung etwas völlig Unvorhergesehenes passiert,

das den Detektiv total aus dem Konzept bringt. Stopp! Was sagt Mama immer? Ich soll nicht so pessimistisch sein.
Also gut: Wir werden den Fall erfolgreich zu Ende bringen, aus einem ganz einfachen Grund: Die drei !!! sind gut, die drei !!! sind besser, die drei !!! sind unschlagbar!

Kaum hatte Kim den Eintrag beendet und ihren Computer heruntergefahren, klingelte ihr Handy.
»Hallo? Ach, du bist es, Franzi. Wie geht's dir?«
»Schlecht!«, sagte Franziska.
Kim fiel fast der Hörer aus der Hand. »Was sagst du? Ist was passiert?«
»Allerdings«, antwortete Franziska. »Tinka hat mich abgeworfen.«
»Bist du verletzt?«
Franziska seufzte. »Ich glaub, ich hab mir den Knöchel gebrochen. Es tut sauweh, wenn ich ihn bewege.«
»Oh nein!«, rief Kim. »Warst du schon beim Arzt?«
»Mama fährt mich gleich ins Luisen-Krankenhaus«, erzählte Franziska, »zur Ambulanz.«
Kim sah auf ihre Armbanduhr. Bis zum Abendessen hatte sie noch zwei Stunden Zeit und das Luisen-Krankenhaus war nur zehn Minuten mit dem Rad entfernt. »Ich komme zur Ambulanz.«
»Danke!«, sagte Franziska. Ihre Stimme klang ganz schwach. »Dann bis bald.«
»Bis gleich«, sagte Kim und legte auf.
Auf der Treppe kamen ihr die Zwillinge entgegen.
»Wo willst du hin?«, fragte Lukas.

»Fährst du zu Michi?«, wollte Ben wissen.
Kim stöhnte. »Nein! Franzi hat sich den Knöchel gebrochen. Ich fahr kurz ins Krankenhaus. Richtet Mama aus, dass ich zum Abendessen wieder da bin.«
»Okay«, sagte Ben. »He, warte, dürfen wir mit?«
»Au ja!«, sagte Lukas. »Ich wollte schon immer mal einen zersplitterten Knochen sehen.«
Kim schnappte sich ihren Anorak. »Ihr bleibt hier!«
Dann schlug sie die Tür hinter sich zu und schwang sich aufs Rad. Schneeflocken rieselten vom Himmel herunter und ein eisig kalter Wind fegte durch die Straßen. Kim spürte die Kälte nicht. Sie musste dauernd an Franziska denken. Hoffentlich war der Knöchel nicht gebrochen! Das wäre eine Katastrophe, Franziska musste doch morgen einsatzbereit sein! Warum hatte sie nur in ihrem Detektivtagebuch den Teufel an die Wand gemalt?
Kim trat kräftig in die Pedale und überholte jeden Radfahrer auf dem Fahrradweg. Wenn das so weiterging mit dem Detektivclub, würde sie doch noch fit werden. Kim schaffte die Strecke in der Rekordzeit von acht Minuten.
Als sie im Wartebereich der Ambulanz ankam, sah sie Franziska schon von weitem. Sie stützte sich gerade auf die Schulter ihrer Mutter und humpelte in Richtung Untersuchungszimmer.
»Hi, Franzi!«, rief Kim ihr entgegen.
»Hi!«, antwortete Franziska und hob das Gesicht. Kim erschrak, wie blass ihre Freundin um die Nase war.
Frau Winkler lächelte Kim freundlich an. »Schön, dass du da bist. Mach dir keinen Kopf, Kim! Es wird alles wieder gut.«

Kim nickte und spürte, wie ihre Angst ein bisschen weniger wurde. Franziskas Mutter wirkte in ihrer warmherzigen, zupackenden Art wie eine Beruhigungstablette. Kim folgte ihr und Franziska ins Untersuchungszimmer.

»Immer rein in die gute Stube«, sagte der Arzt, ein älterer Mann mit grauen Schläfen und fröhlich blitzenden Augen. »Ich bin Dr. Waldow.« Er begrüßte Franziska, ihre Mutter und Kim und deutete dann auf die Untersuchungsliege.

Franziska setzte sich. »Ich glaube, ich hab mir den Knöchel gebrochen. Mein Pony hat mich abgeworfen. Das macht Tinka fast nie, aber da lag eine Plastiktüte am Boden und Tinka hat sich furchtbar erschrocken.«

»Das kenn ich«, sagte Dr. Waldow. »Ich reite auch. Darf ich deinen Fuß ein bisschen abtasten? Das wird ein wenig wehtun.«

Kim drückte Franziskas Hand und ihre Freundin nickte tapfer.

Der Arzt untersuchte Franziskas Knöchel. »So wie es aussieht, hast du Glück gehabt. Der Knöchel ist zwar geschwollen, aber wahrscheinlich nur verstaucht und nicht gebrochen. Zur Sicherheit werde ich aber noch ein paar Röntgenaufnahmen machen.«

»Nicht gebrochen?«, rief Franziska. »Das wär zu schön!«

»Na also!«, meinte Frau Winkler. »Hab ich mir doch gleich gedacht, dass es nicht so schlimm ist.«

Dr. Waldow öffnete eine Durchgangstür. »Kommst du gleich mit in den Röntgenraum?«

Franziska stand auf und humpelte hinüber.

»Viel Glück!«, rief Kim ihr nach.

Franziska nickte und grinste. Jetzt sah sie schon nicht mehr so schrecklich blass aus.
Fünf Minuten später war sie bereits wieder zurück und Dr. Waldow brachte die Röntgenbilder. Während er sie gegen das Licht hielt, wagte Kim kaum zu atmen.
Endlich legte er sie zurück auf den Schreibtisch und lächelte. »Der Knöchel ist nur verstaucht.«
»Ja!«, jubelte Franziska und Kim fiel ihr um den Hals.
Frau Winkler strahlte auch. »Haben Sie etwas gegen die Schwellung? Und müssen wir sonst etwas beachten?«
Der Arzt holte aus seinem Schrank eine kleine Tube. »Diese Salbe kühlt und ist gut gegen die Schwellung. Ich mache Franziska jetzt einen Verband damit. Den sollten sie einmal am Tag wechseln. Versuch so wenig wie möglich aufzutreten, Franziska, und lagere den Fuß schön hoch. Dann bist du in acht bis vierzehn Tagen wieder auf den Beinen.«
»Was?«, rief Franziska. »So lange dauert das?«
Kim fehlten vor lauter Schreck die Worte.
Franziskas Stimme zitterte: »Aber ich muss morgen zu einem wichtigen Treffen – von unserer Mädchenclique. Da muss ich mindestens eine Stunde stehen und laufen.«
Dr. Waldow runzelte die Stirn. »Du solltest dich jetzt wirklich schonen. Das Treffen würde ich an deiner Stelle lieber verschieben.«
»Das geht aber leider nicht«, mischte sich Kim ein. »Bitte, Sie müssen Franzi erlauben, dass sie uns begleitet. Sonst … sonst ist unsere Clique in Gefahr.«
Dr. Waldow sah Kim verdutzt an. »In Gefahr?« Dann schmunzelte er. »Na gut, das will ich natürlich nicht riskie-

ren. Aber danach legst du deinen Fuß wieder schön hoch, Franziska. Versprochen?«

Franziska hob zwei Finger der linken Hand. »Versprochen!«

»Okay«, sagte Dr. Waldow. »Dann wünsche ich dir gute Besserung und viel Glück für morgen!«

»Danke«, sagte Franziska. »Das können wir gut gebrauchen.«

Kim und Frau Winkler halfen Franziska zum Auto. Als sie sicher und gut eingemummelt auf dem Rücksitz saß, schlug Kim die Autotür zu. »Bis bald, ich fahr mit dem Rad.«

Frau Winkler hielt sie am Ärmel zurück. »Muss ich mir Sorgen um euch machen?«

Kim schüttelte den Kopf. »Nein, nein! Wir haben alles im Griff.«

»Wirklich?«, fragte Frau Winkler misstrauisch.

»Ja, wirklich!«, beteuerte Kim.

Da stieg Frau Winkler endlich in den Wagen.

It's showtime!

Als die drei !!! am nächsten Tag an den Tatort fuhren – Kim und Marie mit dem Rad und Franziska mit Stefans Auto –, kamen sie sich vor wie bei einem groß angelegten Polizeieinsatz. Der Laie konnte von außen nichts erkennen, aber die Einsatzleitung wusste genau, dass das Gelände komplett abgeriegelt war, hinter jeder Ecke Polizisten postiert waren und auf den Dächern die Scharfschützen bereitstanden.
In Wirklichkeit warteten zwar nur Kommissar Peters und Polizeimeister Conrad zur Verstärkung auf sie, aber das störte die drei !!! überhaupt nicht.
Marie war als Erste da, stellte ihr Rad ab und überprüfte schnell noch im Taschenspiegel ihr Make-up. Da brauste auch schon Stefan mit dem alten Opel an und hielt mit quietschenden Bremsen neben ihr.
Marie machte die Beifahrertür auf und half Franziska beim Aussteigen. Dabei warf sie Stefan einen strahlenden Blick zu. »Danke, dass du Franzi hergebracht hast.«
»Kein Problem«, sagte Stefan und lächelte zurück. »Ich musste sowieso in die Stadt. Was habt ihr denn eigentlich vor? Franzi macht so ein großes Geheimnis daraus.«
»Ach«, sagte Marie, während sie in Stefans Augen versank. »Nichts Besonderes. Heute geht das Casting weiter.«
»Und, bist du wieder dabei?«, fragte Stefan.
Marie wurde rot. »Nein, ich bin draußen. Aber eine Freundin von mir macht mit, Ramona.«
»Tut mir leid für dich«, sagte Stefan.

Marie zuckte mit den Schultern. »Tja, da kann man nichts machen.«
»Kommst du?«, fragte Franziska. »Mein Knöchel tut höllisch weh.«
»Ja, ich komm schon«, sagte Marie. »Ciao!«, sagte sie zu Stefan. »Vielleicht sieht man sich ja mal wieder.«
»Ja, klar«, sagte Stefan und stieg ein.
Sehnsüchtig sah Marie ihm nach, wie er davonbrauste.
»Mensch, Marie!«, rief Franziska. »Wir haben jetzt keine Zeit für Romantik.«
Marie drehte sich zu ihr um. »Keine Sorge, ich hab meine Gefühle voll unter Kontrolle.«
Franziska kicherte. »Ja, wer's glaubt.«
Da kam Kim mit dem Fahrrad angesaust. »Sorry, wartet ihr schon lange? Meine Mutter hat mich abgefangen und mir jede Menge unangenehme Fragen gestellt. Sie wollte unbedingt wissen, was ich jetzt genau vorhabe.«
»Du Arme!«, sagte Marie. »So was würde mein Vater nie tun. Der vergisst sogar oft, wann ich Aerobic und Gesangsunterricht habe.«
»Kein Wunder bei deinen vielen Stunden«, sagte Franziska.
»Hört auf!«, ging Kim dazwischen. »Jetzt müssen wir unsere Energie bündeln.« Sie hielt ihre rechte Hand in die Höhe. »Legt eure Hände darauf.«
Franziska und Marie taten es.
Dann riefen sie im Chor: »Die drei !!!.«
Kim sagte: »Eins!«, Franziska sagte: »Zwei!«, und Marie: »Drei!«
Danach hoben sie gleichzeitig die Hände in die Luft und riefen zum Abschluss laut: »Power!«

Dann klatschten sie die Hände ab und betraten das Hotel. Innen war schon einiges los, obwohl das Casting erst in einer Stunde begann. Die drei !!! gingen zur Anmeldung.
»Kann ich euch helfen?«, fragte die junge Frau hinter dem Tresen.
»Ja«, sagte Marie. »Wir haben Studioplätze in der ersten Reihe, auf den Namen Grevenbroich.«
Die Frau sah in einer Liste nach. »Ach ja, da steht es.« Sie strich den Namen aus und drückte Marie drei gelbe Karten in die Hand. »Ihr könnt schon reingehen.«
»Danke«, sagte Marie.
An der Studiotür wimmelte der Bodyguard vom letzten Mal die Zuschauer ab. Aber als Marie mit den gelben Karten wedelte, gab er die Tür frei. Unter den neidischen Blicken der anderen, die noch nicht hineindurften, betraten die drei !!! das Studio.
Dort wurde noch aufgebaut. Kameramänner rollten Kabel aus und justierten die letzten Scheinwerfer. Eine Assistentin brachte Wassergläser und stellte sie auf den Tisch der Jury.
Franziska, Kim und Marie suchten ihre Plätze. In der ersten Reihe waren Zettel auf die Rückenlehnen der Stühle gepinnt. »Presse« stand auf den meisten und ein paar Journalisten waren auch schon da. Die drei Plätze mit dem Zettel »Grevenbroich« lagen genau in der Mitte. Von dort konnte man der Jury direkt in die Augen sehen. Aufgeregt nahmen die drei !!! Platz.
»Ich komm mir vor wie eine dieser total berühmten VIPs!«, flüsterte Kim den beiden anderen zu.
»Wir *sind* VIPs«, sagte Franziska.

Marie lächelte. »Tja, und trotzdem weiß keiner, dass Kommissar Peters unsere Plätze reserviert hat. Er hat es extra über einen Freund bei der Presse laufen lassen, damit es nicht auffällt.«

Kim beobachtete, wie auf der Bühne drei Mikrofone aufgestellt wurden. »Oh Mann, Marie, wie hast du das nur geschafft, hier aufzutreten?«

»Keine Ahnung«, sagte Marie. »Das Schlimmste waren die Minuten davor. Als ich hier reinkam, hatte ich gar keine Zeit mehr für Lampenfieber.«

»Ich sterbe vor Lampenfieber«, gestand Kim.

»Und ich könnte heulen wegen meines blöden Knöchels«, sagte Franziska, die gerade eine möglichst bequeme Position für ihr Bein suchte.

»Wir schaffen das!«, sagte Marie.

Da ging die Tür auf und der Rest der Zuschauer strömte herein. Es war ein solches Durcheinander und so ein großer Lärm, dass die drei !!! ihr Lampenfieber für einen Moment vergaßen. Um sich ein wenig abzulenken, machten sie ein kleines Spiel. Wer am meisten Mitschüler und Bekannte unter den Zuschauern fand, hatte gewonnen. Marie lag von Anfang an in Führung. Das halbe Heinrich-Heine-Gymnasium schien vertreten zu sein. Auf die Weise verging die Zeit wenigstens ein bisschen schneller.

»Da ist Frau Ternieden!«, rief Kim plötzlich.

Jetzt entdeckten Franziska und Marie sie auch. Frau Ternieden schritt wie eine Königin zu ihrem Platz. Sie war von Kopf bis Fuß in Regenbogensamt gekleidet und hatte einen knallroten Lippenstift aufgetragen. Die Nachbarn neben

sich begrüßte sie gnädig von oben herab, als wären sie ihr Fußvolk.
Na warte!, dachte Franziska. Du wirst heute dein blaues Wunder erleben.
Eine Reihe vor Frau Ternieden setzte sich Frau Freiberg. Marie winkte ihr zu und Ramonas Mutter winkte zurück.
Dann kam auch schon die Jury herein. Die Zuschauer standen auf und applaudierten wie verrückt. Die drei !!! klatschten auch, beobachteten aber dabei ständig die Bühne. Michael Martens und Sue ließen sich lachend und quatschend auf ihren Stühlen nieder, während Terry betont locker die Hände in die Hosentaschen versenkte.
Marie stupste Kim an. »Ich glaub, sie ist lange nicht so cool, wie sie tut. Siehst du, wie sie schwitzt?«
Kim sah genauer hin. Tatsächlich: Auf der Stirn der Moderatorin standen kleine Schweißperlen. Kim musste grinsen.
Als hätte die Maskenbildnerin Maries Worte gehört, stürzte sie auf die Jurymitglieder zu und puderte ihnen allen noch mal die Gesichter.
Dann gab Michael Martens dem vordersten Kameramann ein Zeichen. Der fuhr mit seiner Kamera auf ihn zu.
»Hallo und herzlich willkommen zur zweiten Runde unseres Castings für *Afternoon*«, sagte Michael Martens.
Die Zuschauer klatschten und pfiffen. Ein paar Journalisten standen auf und knipsten drauflos.
»Danke, danke«, sagte Michael Martens, musste aber noch einige Zeit warten, bis die Zuschauer sich wieder beruhigten. »Ich freue mich, dass wieder so viele gekommen sind. Begrüßt mit diesem Applaus bitte auch später unsere Bewerbe-

rinnen, die schon hinter der Bühne stehen und ihrem Auftritt entgegenfiebern. Dieses Mal sind es nur noch hundert Mädchen, die heute alle die Chance haben, in die letzte Runde zu kommen. Zwölf Mädchen werden wir in die Endrunde wählen und wir sind schon sehr gespannt, was uns Tolles geboten wird.«

Kim raunte ihrer Freundin zu: »Wen Terry wohl noch rausgekickt hat, der richtig gut war?!« Franzi zuckte mit den Schultern. Michael Martens tauschte einen Blick mit Terry und Sue. Terry warf ihm ein völlig übertriebenes, falsches Lächeln zu.

»Ich will keine langen Reden halten«, sagte Michael Martens. »Lasst uns anfangen. Hier kommen die ersten vier Mädchen.«

Die drei !!! lehnten sich zurück. Jette und Julia würden erst in einer halben Stunde drankommen. Bis dahin mussten sie versuchen sich mit den Gesangseinlagen der anderen Bewerberinnen abzulenken.

»Sehr schön«, sagte Sue, als die ersten vier Mädchen sich vor der Jury aufgestellt hatten. »Ich weiß, ihr habt wieder alle tolle Songs vorbereitet. Die hören wir uns gerne ein andermal an. Aber jetzt haben wir erst mal eine Überraschung für euch. *Afternoon* hat einen neuen Song komponieren lassen, den die Mädchenband bald im Fernsehen präsentieren wird. Wir geben euch die Noten zu diesem Song und ihr habt die einmalige Gelegenheit, diesen Song als Erste zu testen. Alles klar?«

Die Mädchen zuckten zusammen, doch dann nickten sie.

Marie sah unauffällig zu Ramonas Mutter hinüber. Der fiel

die Kinnlade herunter. Mit diesem Teil der Show hatte sie nicht gerechnet.
Ein Assistent verteilte die Noten an die ersten vier Kandidatinnen. Die Blätter raschelten, hastig überflogen die Mädchen Text und Melodie, und eine fing leise zu summen an.
»Ruhe bitte!«, sagte Terry. »Hört auf zu summen. Jede soll die gleiche Chance haben.«
Die drei !!! schüttelten die Köpfe. Das sagte ja gerade die Richtige!
»Verteilt bitte die Stimmen und findet ein gemeinsames Tempo.«
Die Mädchen sahen sich unsicher an und zögerten. Dann wurde ein rothaariges Mädchen aktiv. Sie checkte kurz ab, wer welche Stimmlage hatte, und organisierte die Stimmen. Schließlich schnippte sie mit den Fingern den Takt vor. Die vier fingen an zu singen. Es hörte sich ziemlich wackelig an. Nur die Rothaarige war einigermaßen sicher, die anderen schwammen über weite Strecken.
»Danke, vielen Dank!«, sagte Terry. »Ihr habt alle euer Bestes gegeben. Sophie?« Sie deutete auf die Rothaarige. »Du hast das Zeug zum Bandleader. Das hat uns sehr beeindruckt.«
Michael Martens nickte. »Mir hat deine Entschlossenheit auch sehr gut gefallen und deine Ausstrahlung. Gratuliere, Sophie!«
Die Rothaarige tanzte vor Freude im Kreis. Die anderen Bewerberinnen dagegen zogen lange Gesichter, als die Jury ihre Leistungen bewertete und sie schließlich nicht für die Endrunde auswählte.

Die drei !!! rutschten nervös auf ihren Stühlen hin und her. Wenn es bei den anderen Kandidatinnen auch so lange dauerte, kam ihr Zeitplan total durcheinander.
Eine Vierergruppe nach der anderen trat vor und wurde bewertet. Nur zwei Mädchen gelangten in die nächste Runde. Die meisten hatten Probleme mit dem Song und ein paar kamen mit der Stresssituation nicht zurecht. Dominique, ein Mädchen aus Kims Klasse, fing sogar an zu weinen.
»Kann ich es noch mal versuchen?«, fragte sie, als sie mitten im Song abgebrochen hatte, weil ihre Stimme versagt hatte.
Terry schüttelte den Kopf. »Tut mir leid, Dominique. Wir können weder bei dir noch bei einem anderen Mädchen eine Ausnahme machen.«
Franziska kochte innerlich vor Wut und wäre am liebsten jetzt schon auf die Bühne gestürmt. Sie musste sich schwer zusammenreißen, um Terry nicht wüst zu beschimpfen.
Marie ging es ähnlich. Sie war heilfroh jetzt nicht an Dominiques oder Ramonas Stelle zu sein. Die arme Ramona! Noch ahnte sie nicht, was gleich auf sie zukommen würde.
Inzwischen rannte Dominique heulend aus dem Studio. Ein empörtes Raunen ging durch die Zuschauermenge.
»Die Arme!«, riefen ein paar.
Frau Ternieden drehte sich um. »Wieso? Das Showgeschäft ist eben hart!«
Klar, dachte Kim, aber nur für die anderen, die kein Geld haben und auf legalem Weg durchs Casting kommen wollen.
»Ruhe bitte!«, rief Michael Martens. »Ruhe! Danke. Ich möchte an dieser Stelle kurz unterbrechen. Wir wissen,

dass die zweite Runde dieses Castings nicht leicht ist. Aber als Popstar steht man oft unter extremen Belastungen und in Stresssituationen. Damit zurechtzukommen ist genauso wichtig wie gut singen zu können. Wir tun also keinem Mädchen einen Gefallen damit, wenn wir ihm eine nette, heile Welt vortäuschen.«

Das Publikum raunte immer noch, aber die Stimmen wurden langsam leiser. Das Casting ging weiter. Endlich waren Jette und Julia dran. Zusammen mit Ramona und Claudia, einer Mitschülerin von Franziska, stellten sie sich vor der Jury auf.

Die drei !!! rutschten an die vordere Kante ihrer Stühle und rissen die Augen auf. Beinahe hätten sie die Schwestern nicht wiedererkannt. Jette und Julia hatten sich von rosa Glitzermädchen in freche Rockgirls verwandelt. Ihre Beine steckten in schwarzen Lederhosen, dazu hatten sie grün gemusterte Armee-Tops und derbe Stiefel kombiniert. Ramona und Claudia in ihrem normalen Jeans-und-T-Shirt-Outfit wirkten dagegen wie Gäste, die zufällig auf einer Faschingsfeier hereingeschneit waren und das Motto nicht mitbekommen hatten.

Sue erklärte wieder die Programmänderung mit dem neuen Song. Claudias Knie fingen an zu zittern und Ramona wurde total blass. Jette und Julia guckten sich gespielt bestürzt an.

»Aber das war so nicht ausgemacht!«, beschwerte sich Jette.

»Ja, genau«, sagte Julia.

Ramona und Claudia brachten vor Schreck kein Wort heraus.

»Das stimmt«, sagte Sue ruhig. »Aber ihr seid nicht allein. Jedes Mädchen heute in dieser Runde muss vom Blatt singen.«
Terry klatschte in die Hände. »Gut, die Noten bitte!«
Die drei !!! beobachteten jede Bewegung und jeden Mimikwechsel von Jette und Julia. Die Schwestern überflogen total hektisch ihre Notenblätter. Dann ließ Jette absichtlich ihr Blatt fallen.
»Entschuldigung«, murmelte sie.
»Kein Problem«, sagte Michael Martens.
Ramona hatte sich inzwischen wieder gefangen und fragte Claudia: »Singst du Alt?«
Claudia nickte.
Da ging Jette dazwischen. »Ich kenne mich mit Stimmlagen aus, das hat mir meine Gesangslehrerin beigebracht.«
»Ich kenne mich auch damit aus«, sagte Ramona, »und ich hab angefangen.«
Die beiden standen sich wie zwei Kampfhähne gegenüber.
Sue guckte auf die Uhr. »Einigt euch bitte schnell! Nur ein Mädchen kann die Führung übernehmen.«
Ramona ließ Jette für zwei Sekunden aus den Augen und sah unsicher zur Jury hinüber.
Das nutzte Jette natürlich sofort aus und riss die Führung an sich. »Claudia, du bist also Alt. Julia ist Mezzosopran, ich bin Sopran, und du, Ramona, bist wahrscheinlich auch Alt, oder?«
»Nein, Mezzosopran«, sagte Ramona.
Jette nickte. »Gut, dann singst du die dritte Stimme, Julia die zweite, Claudia die vierte und ich übernehme die erste.«

Ramona nickte, aber Marie spürte, wie sie Jette am liebsten zur Rede gestellt hätte. Doch das traute sie sich vor der Jury nicht.

Jetzt wurde es ernst. Jette summte die Grundtöne, dann zählte sie ein. Ihr Sopran war glockenhell und überhaupt nicht falsch. Julia sang auch sehr sicher, nur ab und zu verpatzte sie extra einen kleinen Ton. Und Jette verschleppte manchmal absichtlich das Tempo. Beide jedoch interpretierten den Song frech und rockig, genau so, wie es Terry ihrer Mutter empfohlen hatte. Diesmal wackelten sie überhaupt nicht mit den Hüften, sondern stampften mit ihren Cowboystiefeln im Takt. Das Publikum nahm den Takt von ihnen auf und klatschte begeistert mit.

Ramona kam zwar gut mit, war aber natürlich nicht so perfekt wie die Schwestern und sang den Song wie eine normale Ballade. Claudia war kaum zu hören, sie brummte den Alt mehr, als dass sie ihn sang.

Als die vier das Lied zu Ende gesungen hatten, war erst mal Stille im Saal. Dann fingen die Zuschauer an zu klatschen, klatschten immer lauter und lauter.

Jette und Julia verbeugten sich Hand in Hand, streckten die Hände in Siegerpose hoch und lachten. Ramona rückte von ihnen ab und verbeugte sich zusammen mit Claudia.

Die drei !!! applaudierten auch, um nicht aufzufallen. Trotzdem ließen sie jetzt Terry nicht aus den Augen. Doch die hielt sich erst mal zurück.

»Fangen wir mit Ramona an«, sagte Sue. »Du hast ein sehr gutes Rhythmusgefühl und hast die Songstruktur sehr schnell erfasst.«

»Deinen Ausdruck fand ich auch sehr schön«, sagte Michael Martens.
»Also mir war er eine Spur zu sanft«, mischte sich Terry ein. »Trotzdem hast du eine tolle Performance hingelegt und dich auch im Vergleich zur ersten Runde richtig gesteigert«, sagte Sue. »Glückwunsch, du bist in der Endrunde!«
»Ja!«, jubelte Ramona.
Marie klatschte noch mal extra laut für ihre Freundin. Dann konzentrierte sie sich schnell wieder auf Terry.
»Nun zu dir, Claudia«, sagte Terry. »Du hast eine gute Stimme und normalerweise würden wir dir gerne eine Chance geben. Aber es können nur zwölf Mädchen weiterkommen und den strengen Anforderungen, die wir jetzt anlegen müssen, bist du leider nicht gewachsen.«
Claudia nickte und kämpfte gegen die Tränen an. Tröstend legte Ramona ihr den Arm um die Schulter.
»Jette und Julia!«, sagte Michael Martens und wandte sich mit einem breiten Grinsen an die Schwestern. »Ihr habt uns heute echt überrascht! Beim ersten Mal war ja eure Intonation noch nicht so ausgeprägt, aber heute … Hut ab!«
»Das finde ich auch«, sagte Sue. »Faszinierend, wie schnell ihr den Song verstanden habt. Fast hätte ich geglaubt, ihr habt die Noten schon mal gesehen.«
»Übt ihr öfter im Gesangsunterricht, vom Blatt zu singen?«, fragte Terry schnell.
Jette und Julia nickten so eifrig wie aufgezogene Puppen.
»Ja«, antwortete Jette. »Unser Musik-Coach triezt uns ganz schön.«
»Der ist richtig fies!«, sagte Julia und verdrehte die Augen.

Ein paar Zuschauer lachten.
Terry lächelte. »Am besten hat mir gefallen, dass ihr den Song nicht wie eine Ballade, sondern schön rockig gesungen habt. Darauf ist bis jetzt noch keine vor euch gekommen. Und da wird sich der Komponist freuen. Der hat sich das nämlich genau so vorgestellt.«
Jette und Julia schwebten auf einer rosaroten Wolke.
»Ihr seid bis jetzt unsere absoluten Favoriten«, rief Michael Martens. »Ihr seid weiter!«
Die drei !!! tauschten schnell einen Blick. Dann sprangen sie wie auf Kommando von ihren Stühlen hoch. Marie und Kim rannten auf die Bühne. Franziska humpelte, so schnell sie konnte, hinter ihnen her.
»Stopp!«, rief Marie. »Wartet!«
Terry fielen fast die Augen aus dem Kopf. »Was fällt euch ein?«
Jetzt erkannte Michael Martens Marie und sprang wütend auf. »Ihr könnt hier nicht einfach mitten ins Casting platzen!«
Die Zuschauer fingen wieder an zu raunen. Sofort fuhren die Kameras auf die drei !!! zu und fokussierten sie. Etliche Journalisten sprangen auf und schossen Fotos.
»Doch, das können wir«, sagte Kim und sah geradeaus direkt in die Kameras. »Dieses Casting wurde nämlich manipuliert.«
Jette und Julia warfen verzweifelte Blicke zu Terry hinüber, aber die tat so, als würde sie es nicht bemerken.
»Was soll das heißen?«, fragte Sue.
Franziska fuhr fort: »Es gibt hier jemanden im Zuschauer-

raum, der die Jury bestochen hat. Genauer gesagt, ein Mitglied der Jury bestochen hat.«
Die Zuschauer wurden lauter.
»Wer?«, riefen ein paar.
»Was erzählt die Kleine da?«, fragte ein anderer.
Kim holte tief Luft: »Frau Ternieden, die Mutter von Jette und Julia, hat ein Mitglied der Jury mit Geld bestochen, damit ihre Töchter das Casting gewinnen.«
Mit hochrotem Kopf fuhr Frau Ternieden in die Höhe. »Das ist eine üble Unterstellung! Das habt ihr euch doch ausgedacht, ihr raffinierten Luder, bloß damit ihr einmal im Rampenlicht steht.«
Terry winkte den Assistenten zu. »Schnell, entfernt diese Mädchen von der Bühne!«
Doch die hörten sie gar nicht, weil sie gebannt die drei !!! anstarrten.
Da stand Michael Martens auf. »Das ist wirklich eine ungeheuerliche Behauptung, die ihr da aufstellt. Das hier ist ein faires Casting, bei uns geht es vollkommen korrekt zu. Bestechung und Betrug sind absolut tabu. Ich habe mich noch nie in meinem Leben bestechen lassen, das schwöre ich!«
»Ich auch nicht!«, versicherte Sue.
Marie trat einen Schritt vor die Jury. »Das wissen wir. Das Jurymitglied, von dem wir reden, ist auch keiner von Ihnen beiden.« Langsam ging sie auf Terry zu und richtete den Zeigefinger auf die Moderatorin. »*Sie* hat sich bestechen lassen!«
Terry fing wieder an zu schwitzen und lachte höhnisch auf. »Das könnt ihr nie im Leben beweisen!«

»Doch«, sagte Kim. »Das können wir. Wir haben Ihr Gespräch mit Frau Ternieden im *Café Lomo* auf Band aufgenommen und Beweisfotos gemacht.«
»Du lügst!«, behauptete Terry. »Die Beweise will ich sehen.«
»Nichts lieber als das«, sagte Franziska. »Im Präsidium werden Sie alle Beweise sehen. Und zwar früher, als Sie glauben.«
Sofort flog eine Tür des Studios auf. Kommissar Peters und Polizeimeister Conrad stürmten in den Saal. Terry drehte sich blitzschnell um und flüchtete zum Hinterausgang.
Kommissar Peters lief ihr hinterher. »Halt, bleiben Sie sofort stehen!«
Terry rannte einfach weiter. Doch Kommissar Peters erwischte sie am Arm und hielt sie zurück. »Ich nehme Sie vorläufig fest wegen dringenden Verdachts auf Betrug und Bestechlichkeit.«
Polizeimeister Conrad kam dazu und legte Terry klirrend die Handschellen um.
»Ich will sofort meinen Anwalt sprechen!«, rief Terry.
»Ja, ja«, sagte Polizeimeister Conrad. »Das werden Sie schon noch, aber erst kommen Sie mit zu uns auf die Wache.«
Terry sah den Polizeimeister verächtlich an.
Plötzlich zeigte Franziska in den Zuschauerraum. »Kim, Marie, schnell! Frau Ternieden will auch fliehen!«
Kim und Marie reagierten sofort und rannten los. Frau Ternieden war trotz ihres engen Samtkleids erstaunlich schnell. Sie quetschte sich an ihren Nachbarn vorbei und setzte dabei rücksichtslos ihre Ellenbogen ein. Auch Ramonas Mutter, die sie aufhalten wollte, schob sie einfach zur Seite. Panisch versuchte sie zum nächsten Ausgang zu gelangen.

»Mama!«, riefen Jette und Julia hilflos.
»Kommt schon!«, rief Frau Ternieden zurück. »Kommt zu mir!«
Marie und Kim kämpften sich inzwischen zu Frau Ternieden durch und verstellten ihr den Weg.
»Hier geht es nicht weiter«, sagte Marie.
»Das hat doch keinen Sinn«, redete Kim auf die flüchtende Mutter ein.
Keuchend kam Franziska angehumpelt. »Geben Sie auf!«
»Nein!«, kreischte Frau Ternieden.
Kommissar Peters drängte sich vor und legte Frau Ternieden seine schwere Hand auf die Schulter. »Sie sind vorläufig festgenommen, wegen dringenden Verdachts auf Betrug und Bestechung.«
Er legte Frau Ternieden die Handschellen an.
»Nein, nicht!«, rief sie, aber ihre Stimme zitterte und sie wehrte sich nicht länger.
Kommissar Peters drehte sich zu den drei !!! um. »Vielen Dank! Ihr habt sehr schnell reagiert.«
»Kein Problem«, sagte Marie.
Franziska zeigte auf ihre Freundinnen. »Ja, die beiden waren toll! Ich konnte leider nicht mithalten wegen meines Knöchels.«
Kommissar Peters nickte. Er wusste bereits, dass Franziska sich verletzt hatte.
»Und jetzt kommen wir wieder zu Ihnen«, sagte er zu Frau Ternieden. »Hier geht's lang. Folgen Sie mir bitte.«
»Machen Sie Platz!«, rief er den aufgeregten Zuschauern zu. »Gehen Sie aus dem Weg.«

Ein paar besonders Neugierige wollten nicht ausweichen.
»Wenn Sie nicht sofort Platz machen«, rief Kommissar Peters, »lasse ich Sie wegen Behinderung der Polizei in Gewahrsam nehmen!«
Das wirkte endlich. Trotzdem prasselten von überall her Fragen auf die Polizisten ein:
»Was geht hier eigentlich vor?«
»Ist das ganze Casting ein Betrug?«
»Was ist jetzt mit meiner Tochter?«
Kommissar Peters drehte sich noch mal um und sah in die Runde. Erschrocken verstummten die meisten Zuschauer.
»Die heutige Castingveranstaltung wird abgebrochen und das komplette Casting bis auf weiteres eingestellt«, verkündete er.
Michael und Sue, die bisher dem Ganzen ungläubig zugesehen hatten, liefen nun auf den Kommissar zu.
»Halt!«, rief Michael Martens. »Das geht nicht.«
»Das können Sie nicht machen!«, rief Sue. »Das ist ein Skandal für *Afternoon*. Sie ruinieren uns!«
Kommissar Peters schüttelte ungerührt den Kopf. »Das hätten Sie sich vorher bei der Auswahl der Jurymitglieder überlegen müssen.«
Michael Martens raufte sich die Haare. »Was soll ich denn jetzt den ganzen Bewerberinnen sagen? Ich kann sie doch nicht einfach heimschicken.«
»Das werden Sie aber müssen«, sagte Kommissar Peters.
»Ich fass es nicht«, rief Michael Martens, »ich fass es nicht …!«
Sue hatte sich schneller wieder im Griff. Sie lief zu einem der Mikrofone und wandte sich an die Zuschauer: »Entschuldi-

gen Sie bitte! Es tut uns sehr leid, dass das passieren konnte. Wir werden Sie selbstverständlich informieren, wann es mit dem Casting weitergeht. Bitte verlassen Sie jetzt alle den Saal.«

Buhrufe und Pfiffe kamen als Antwort zurück, andere Zuschauer klatschten laut. Dann setzten sich die ersten Zuschauer in Bewegung.

Die drei !!! folgten Kommissar Peters. Der führte Frau Ternieden hinüber zu Terry, die immer noch neben Polizeimeister Conrad stand und inzwischen völlig aufgelöst war. Als sie die drei !!! sah, starrte sie sie mit hasserfüllten Augen an.

»Na wartet, das werdet ihr noch bereuen!«, zischte sie ihnen zu.

Marie schüttelte den Kopf. »Irrtum, *Sie* werden es noch bereuen, wenn Sie vor Gericht stehen.«

Plötzlich stöhnte Frau Ternieden auf, sank in den Knien ein und klappte zusammen.

»Sie ist ohnmächtig geworden!«, kreischte Julia.

Jette fing an zu heulen. »Ich will zu meiner Mutter!«

Kommissar Peters rief laut: »Ist hier irgendwo ein Arzt?«

»Hier!«, meldete sich eine Frau.

Polizeimeister Conrad hob die Hand. »Lasst die Ärztin durch!«

Kurz darauf war die Ärztin bei Frau Ternieden, beugte sich über sie und fühlte den Puls. Dann machte sie einen kleinen Check-up.

»Es geht ihr gut«, sagte sie schließlich. »Sie wird bald wieder zu sich kommen. Das war vermutlich nur die ganze Aufre-

gung.« Die Ärztin klopfte Frau Terniedens Wangen. »Hallo, können Sie mich hören?«
Langsam schlug Frau Ternieden die Augen auf. »Wo … wo bin ich?«
»Im Castingstudio«, sagte die Ärztin.
»Aber nicht mehr lange«, murmelte Marie.
Da drängte sich Ramona zu den drei !!! durch. Bewundernd sah sie die Mädchen an. »Sagt mal, macht ihr so was öfters?«
»Nö«, behauptete Marie und zwinkerte Franziska und Kim zu.
»Ihr wart großartig! Wie habt ihr das bloß alles herausgefunden? Ich kann es immer noch nicht glauben, dass ausgerechnet Terry … und die Mutter von Jette und Julia. Das ist richtig ekelhaft! Jetzt erzählt schon: Wie seid ihr an die Beweise gekommen?«
Kim und Franziska guckten Marie warnend an.
»Sorry«, sagte Marie. »Das bleibt unser Geheimnis!«

Wirbel um die drei !!!

»Herzlich willkommen zur Sondersitzung im Hauptquartier!«, rief Franzi. Drei Tage später stand sie am Eingang des Pferdeschuppens und begrüßte Kim und Marie.
»Hallo, Franzi!«, sagte Kim. »Wie geht es deinem Knöchel?«
»Jeden Tag etwas besser«, antwortete Franziska.
Lachend kamen Kim und Marie herein, Marie mit einer Schachtel und Kim mit einem Rucksack voller Lebkuchen unter dem Arm. Sorgfältig sperrte Franziska hinter ihnen ab. Marie und Kim warfen ihre Winterjacken ab und wärmten fröstelnd ihre Hände an dem kleinen Bullerofen, den Herr Winkler ihnen zur Verfügung gestellt hatte.
»Endlich allein!«, stöhnte Kim und ließ sich auf einen Stuhl fallen.
»Wieso endlich?«, fragte Marie. »Ich fand den Wirbel toll.«
»Ja, klar«, sagte Franziska, während sie ihr Bein auf einem Hocker ablegte. »Du bist ja auch mediengeil.«
»Lasst uns lieber feiern statt streiten!«, sagte Kim und öffnete ihren Rucksack. »Seht mal, was ich alles dabeihabe: Dominosteine, Lebkuchen, Äpfel und Mandarinen.«
»Hm!«, machte Franziska und schnappte sich sofort einen Apfel. »Holst du mal die Cola rüber, Marie? Auf dem Bürocontainer stehen zwei Flaschen.«
Marie stand auf, brachte die Flaschen und schenkte die Cola in Gläser ein. Mittlerweile hatten sie sich richtig schön eingerichtet in ihrem Hauptquartier. Ein Regal war dazugekommen – Marie hatte es spendiert, nachdem ihr Vater ihr

ein neues geschenkt hatte – und Franziskas Mutter hatte ihnen ein paar Gläser, Besteck und Teller gegeben, damit sie im Schuppen essen und trinken konnten.
Die drei !!! stürzten sich auf die leckeren Sachen und aßen so lange, bis fast nichts mehr übrig war.
»Hast du die Zeitung dabei?«, fragte Franziska.
Kim nickte. »Ich hab mir gleich drei Exemplare gekauft. Habt ihr den Artikel auch schon gelesen?«
»Klar!«, sagte Franziska.
»Mindestens fünfmal«, sagte Marie, »aber ich kann ihn immer noch nicht auswendig. Los, lies schon vor!«
Kim schlug die Seite im Lokalteil auf und holte tief Luft:

Spektakulärer Betrug bei Castingshow

Am Freitag gelang es der Polizei dank der tatkräftigen Unterstützung von drei cleveren Detektivinnen, einen außergewöhnlichen Betrugsfall aufzuklären. Es wurden zwei Personen festgenommen, die nun in Untersuchungshaft sitzen: Helga Ternieden und Terry Barnhelm, ein Mitglied der Casting-Jury. Helga Ternieden hatte in mehreren Raten Bestechungsgelder an Frau Barnhelm gezahlt und als Gegenleistung die Zusicherung erhalten, dass ihre beiden Töchter beim Auswahlverfahren für eine Mädchenband, die im Jugendsender *Afternoon* auftreten soll, vorgezogen wurden. Frau Ternieden erhielt außerdem geheime Informationen zum Ablauf der einzelnen Castingrunden, die ihren Töchtern einen eindeutigen Vorteil gegenüber den anderen Bewerberinnen verschafften. Als Motiv gibt Frau Ternieden an, sie habe »nur das Beste für ihre Töchter gewollt« und ihnen den Start in die Popstar-Karriere erleichtern wollen. Dass der Ehrgeiz mancher Eltern mittlerweile solche Ausmaße annimmt, ist ein erschreckendes Zeichen des Starfiebers unter Jugendli-

chen, das unsere Gesellschaft mehr als nachdenklich stimmen und zum Handeln animieren sollte.
Terry Barnhelm ist kein unbeschriebenes Blatt. Bei Castings in anderen Städten hat sie bereits mehrfach Bestechungsgelder angenommen und ist zudem unter falschem Namen in kriminelle Musikgeschäfte verwickelt, die die Polizei gerade noch aufklärt. Für Hinweise, die zu ihrer Ergreifung führen, war eine Belohnung ausgeschrieben, die nun die mutigen Mädchen erhalten haben. Gemeinsam hatten sie der Polizei entscheidendes Beweismaterial geliefert, das die sofortige Festnahme der beiden Täterinnen ermöglichte.
Michael Martens und Sue Mendel, die beiden anderen Jurymitglieder, hat die Polizei ebenfalls vernommen und für unschuldig befunden. Beide haben mit den Bestechungsvorfällen nichts zu tun und wussten auch nichts davon.
Das Casting wird nächste Woche fortgesetzt, allerdings mit einem neuen Jurymitglied: Statt Terry Barnhelm wird Maike Weser einspringen, die sich durch ihre kritische Berichterstattung in verschiedenen Jugendmagazinen einen Namen gemacht hat.
Ein besonderer Dank der Polizei geht noch einmal an die drei jungen Detektivinnen. Ihr couragierter Einsatz ist ein Vorbild für alle Mitbürger dieser Stadt.

Franziska kicherte. »Das geht doch runter wie Öl!«
»Finde ich auch«, sagte Marie. »Lieber ein Kompliment zu viel als zu wenig.«
Kim faltete die Zeitung wieder zusammen. »Bloß schade, dass Michi in dem Artikel nicht erwähnt wird. Schließlich hat er uns so toll geholfen.«
»Stimmt«, sagte Franziska. »Aber wir haben uns ja schon extra bei ihm bedankt.«
Kim lächelte. »Ja!« Erst gestern hatte sie Michi angerufen und hatte seine wundervolle Stimme immer noch im Ohr.
Marie schenkte sich noch ein Glas Cola ein. »Und Kommis-

sar Peters hat tatsächlich Wort gehalten. Da steht nichts über unseren Detektivclub.«
»Das ist auch gut so«, sagte Franziska. »Jetzt kennen uns eh schon viel zu viele Menschen. In der Pause sprechen mich dauernd Leute an und fragen mir Löcher in den Bauch. Wenn die wüssten, dass wir richtige Detektivinnen sind, könnten wir in Zukunft überhaupt nicht mehr ungestört ermitteln.«
»Bringen sie die Geschichte eigentlich auch im Fernsehen?«, fragte Marie.
Kim schüttelte den Kopf. »Nein, das hat Kommissar Peters verhindert. Die Aufnahmen der Kameraleute braucht die Polizei jetzt als Beweismaterial.«
»Schade«, meinte Marie. »Dabei hab ich mich extra schön gestylt für die Kameras.«
Franziska knuffte Marie in die Seite. »Ich mag dich ohne das ganze Make-up viel lieber! Das brauchst du doch gar nicht.«
»Keine Sorge«, meinte Kim. »Auch wenn unser Fall nicht ins Fernsehen kommt, verloren geht er garantiert nicht. Ich hab gestern nämlich wieder an meinem Krimi weitergeschrieben. Und da sind Ähnlichkeiten mit lebenden Personen rein zufällig!«
Franziska sah Kim bewundernd an. »Gibst du uns mal was zu lesen?«
»Ich bin auch schon total gespannt«, sagte Marie.
Kim zögerte. »Hm, vielleicht, mal sehen … Ich muss den Text erst noch überarbeiten.« Dann wechselte sie schnell das Thema. »Marie, was ist denn eigentlich in der Schachtel, die du mitgebracht hast?«

Marie lächelte geheimnisvoll. »Ein Gegenstand, den die drei !!! dringend brauchen.«
»Hast du es etwa schon gekauft?«, fragte Kim aufgeregt.
»Klar«, sagte Marie. »Sofort nachdem du mir einen Teil der Belohnung dafür gegeben und mir genau erklärt hast, welches Teil ich kaufen muss.«
»Der Rest ist sicher verwahrt in unserer Geheimschublade«, sagte Kim und zeigte auf den Bürocontainer. Sie konnte es immer noch nicht glauben, dass sie fünfhundert Euro Belohnung von der Polizei bekommen hatten.
Marie öffnete die Schachtel, die sie mitgebracht hatte. Unter einem Haufen Styroporschnipseln kam ein glänzendes, schwarzes Gerät zum Vorschein. »Das ist es: ein professionelles Aufnahmegerät mit Richtmikrofon.«
»Wow!«, rief Franziska. »Das sieht ja stark aus.«
Kim nahm das Gerät vorsichtig in die Hand. »Super Reichweite, klarer Empfang und minimales Rauschen und dabei extrem leicht und klein!«
»Das wird uns sicher noch tolle Dienste leisten«, sagte Marie, »spätestens bei unserem nächsten Fall.«
Franziska nickte. »Da freu ich mich jetzt schon drauf. Und auf die Fortsetzung vom Casting auch. Wir werden deine größten Fans sein und dir zujubeln.«
Marie legte die Schachtel weg und schwieg.
»Was ist denn?«, fragte Kim. »Du machst doch wieder mit, oder?«
»Nein, ich glaub nicht«, sagte Marie. »Den ganzen Stress ist es mir nicht wert. Ramona ist zurzeit völlig fertig. Sie hat einen richtigen Nervenzusammenbruch gehabt.«

»Warum das denn?«, fragte Franziska.
Marie seufzte. »Ihre Mutter hat sie total unter Druck gesetzt, seit Jahren schon, und dann kam auch noch die Aufregung beim Casting dazu. Da ist bei Ramona einfach die Sicherung durchgebrannt. Als ich das mitbekommen hab, hab ich mich richtig erschrocken. Na ja, auf so was kann ich echt verzichten. Natürlich werde ich weiter singen und vielleicht später mal Schauspielerin oder Sängerin werden, aber das hat noch Zeit. Im Moment sind mir andere Dinge wichtiger. Außerdem muss man im Leben Prioritäten setzen. Und die drei !!! sind mir nun mal tausendmal wichtiger als alles andere.«
Franziska und Kim sahen sich verblüfft an.
Dann grinste Franziska. »Und das aus deinem Mund! Es geschehen noch Zeichen und Wunder!«

Gefährlicher Chat

Clubtreffen im Hauptquartier

»Detektivausrüstung«, murmelte Franzi, während sie das Wort in die Suchmaschine eingab. »Volltreffer! Hier sind ja schon die Onlineshops.«
Manchmal konnte Franzi es immer noch nicht glauben, dass sie endlich einen eigenen Computer besaß. Stefan hatte eine seiner großzügigen Anwandlungen als netter großer Bruder gehabt und ihr seinen alten Computer samt Drucker geschenkt, nachdem er sich einen neuen angeschafft hatte. Jetzt konnte sie mailen und surfen, wann immer sie wollte, und musste dafür nicht extra ins Internetcafé oder ins Jugendzentrum gehen. Aber das Beste war, dass sie nun nicht mehr das einzige Mitglied des Detektivclubs war, das keinen Computer hatte.
Franzi sah auf ihre Armbanduhr. Noch zwei Stunden, bis Kim und Marie kamen. Da hatte sie ja viel Zeit, um zu recherchieren. Heute wollten sich die drei !!! wieder mal in ihrem geheimen Detektiv-Hauptquartier treffen. Es war eine Riesenschufterei gewesen, den alten Pferdeschuppen hinter dem Haus zu entrümpeln, aber es hatte sich voll gelohnt. Jetzt hatten sie alles, was sie brauchten: Tisch, Stühle, Regal, Bullerofen, einen Bürocontainer mit abschließbarem Geheimfach und eine alte Pferdekutsche, in die sie sich zurückziehen konnten, wenn sie ganz sichergehen wollten, dass keiner zuhörte. Eigentlich war der Club *Die drei !!!* nämlich immer noch geheim, denn keine der drei Detektivinnen wollte, dass sich ihre Eltern unnötige Sorgen machten. Doch

inzwischen hatten sie bereits mehrere Fälle erfolgreich gelöst und waren nach der Aufdeckung einer Bestechung bei einem Musikcasting sogar in die Zeitung gekommen. Von der Belohnung hatten sie sich ein Aufnahmegerät mit Richtmikrofon gekauft. Da von dem Geld noch etwas übrig war, wollten sie ihre Detektivausrüstung nun weiter vervollständigen. Franzi klickte einen der Onlineshops an. Es war ein Shop für Profidetektive. Sofort erschien eine Latte von Produkten, alles vom Feinsten. Hier blieben keine Wünsche offen. Von der Peilanlage über Nachtsichtgeräte, Funk- und Überwachungskameras und Wanzen bis hin zum Minisender konnte man einfach alles haben. Leider waren die Preise auch vom Feinsten. Franzi seufzte.

In dem Moment ging die Tür auf und Chrissie stürmte herein. »Sag mal, kannst du mir deinen Gürtel …« Mitten im Satz blieb sie stecken und kam neugierig näher. »Spielst du immer noch Detektivin? Bist du dafür nicht ein bisschen zu jung?«

Franzi streckte ihrer großen Schwester die Zunge heraus. Bloß weil Chrissie schon sechzehn war und einen Freund hatte, glaubte sie, sie könnte sich alles erlauben.

»Was willst du?«, fragte Franzi genervt.

Chrissie setzte ein zuckersüßes Lächeln auf. »Deinen Gürtel mit den silbernen Hufeisen. Leihst du ihn mir?«

»Wie bitte?«, fragte Franzi. »Du hasst doch Pferde und mein Pony kannst du nicht ausstehen.«

Chrissie schüttelte unschuldig ihre rote Lockenmähne. »Ich *liebe* Pferde. Pferde sind total angesagt: auf T-Shirts, als Modeschmuck, auf Tüchern und …«

»Alles klar«, sagte Franzi. »Du meinst Pferde ohne den lästigen Stallgeruch.«
Bei Chrissie wunderte sie schon lange nichts mehr. Jede Woche hatte sie eine andere Macke: Mal war sie im Handyfieber, mal hatte sie zwei Freunde gleichzeitig, mal wollte sie plötzlich als Popstar die Charts stürmen, obwohl sie ungefähr so gut singen konnte wie ein Goldfisch. Und jetzt eben der Pferdetick.
»Also, was ist?«, fragte Chrissie. »Leihst du mir deinen Gürtel? Nur für ein paar Stunden! Ich gehe mit Bernd zum Eislaufen.«
Franzi stöhnte. Sie hatte zwei Möglichkeiten: entweder nachzugeben oder Chrissie die nächste halbe Stunde nicht mehr loszuwerden. Da sie auf Letzteres überhaupt keine Lust hatte, entschied sie sich lieber für die erste Möglichkeit und ging zu ihrem Schrank. »Da hast du den Gürtel. Aber mach ihn bloß nicht kaputt!«
»Natürlich nicht«, sagte Chrissie und verließ triumphierend das Zimmer.
Franzi sperrte die Tür hinter ihr ab, damit nicht noch mal jemand reinplatzen konnte. Danach setzte sie sich wieder an den Schreibtisch.
Die Ausrüstung für Profidetektive war wirklich zu teuer, aber als erste Info bestimmt nicht schlecht und ausdrucken kostete ja nichts. Außerdem wollten die drei !!! später sowieso noch ausführlich besprechen, welche Gegenstände sie anschaffen würden.
Bevor Franzi die Liste ausdruckte, beschloss sie, sich noch andere Seiten mit Detektivausrüstungen anzuschauen. Als

sie zu den Treffern ihrer Suchmaschine zurückging, blieb sie plötzlich an einem Link hängen, bei dem in der Kurzinfo »Skater-Detektive« fett gedruckt war. Es handelte sich um einen Kinderkrimi, in dem die Detektive nicht nur eine tolle Ausrüstung hatten, sondern auch ständig auf ihren Skates unterwegs waren. Neugierig klickte Franzi den Link an. Sie skatete wahnsinnig gern – mindestens genauso gern, wie sie auf ihrem Pony Tinka ritt. Auf der Buchseite gab es weitere Infos zum Krimi und Links zu verschiedenen Chatrooms für Skater- und Sportfreunde. Franzi klickte weiter und weiter und sah sich einen Chatroom nach dem anderen an. Dabei zupfte sie immer wieder an ihren kurzen, roten Haaren und versank völlig in der Chatroomwelt.
Plötzlich klingelte es unten an der Haustür. Franzi fuhr hoch. Wer konnte das denn sein? Sicher nicht ihre Freundinnen, dafür war es viel zu früh. Schnell warf sie einen Blick auf ihre Armbanduhr. Was, schon vier Uhr?? Wo war bloß die Zeit geblieben? Mist! Und sie hatte keine einzige Seite ausgedruckt. Da würden die anderen garantiert sauer sein. Zumal sie sich regelrecht darum gerissen hatte, den Recherchejob zu übernehmen.
»Franzi!«, rief ihre Mutter vom Flur herauf. »Besuch für dich.«
»Ich komme!«, rief Franzi zurück, schaltete den Computer aus und sprang auf. Da klopfte es schon an ihre Tür.
»He, willst du uns nicht reinlassen?« Das war Maries ungeduldige Stimme.
»Doch, klar«, sagte Franzi und machte auf.
Draußen standen ihre Freundinnen Marie und Kim. Marie war wie immer perfekt gestylt und geschminkt, Kim dagegen

hatte ihre verwaschene Lieblingsjeans und einen dicken Rollkragenpulli an.
»Wie geht es deinem Knöchel?«, fragte Kim.
»Gut«, sagte Franzi.
Vor einiger Zeit war sie ausgerechnet kurz vor dem Abschluss ihres letzten Falls vom Pony gestürzt und hatte sich den Knöchel verstaucht. Inzwischen spürte sie zum Glück fast nichts mehr und der Arzt war auch sehr zufrieden.
Marie musterte sie von Kopf bis Fuß und ihr Blick blieb schließlich an Franzis zerzausten Haaren hängen.
»Was ist denn mit dir los?«, fragte sie. »Bist du gerade erst aufgestanden oder hast du etwa unser Treffen vergessen?«
»Quatsch«, sagte Franzi. »Ich hab nur ein bisschen gesurft und …«
»Hoffentlich für unseren Detektivclub«, sagte Marie.
Franzi wich aus. »Auch …«
»Kommt«, sagte Kim, »oder wollt ihr alle Details hier zwischen Tür und Angel ausplaudern? Dann können wir auch gleich zu deiner Mutter in die Küche gehen.«
Prompt erschien Franzis Mutter am Fuß der Treppe. »Ich hab gerade Plätzchen gebacken. Soll ich sie euch raufbringen?«
»Nein, nein, danke«, sagte Franzi schnell. »Wir nehmen sie mit in den Pferdeschuppen.«
»Aber da ist es bestimmt schrecklich kalt«, meinte ihre Mutter. »Nicht dass ihr euch erkältet. Bleibt lieber hier.«
Franzi nahm ihr den Plätzchenteller aus der Hand. »Kein Problem. Wir haben doch den Bullerofen.« Damit schob sie Kim und Marie in Richtung Haustür.

»Nehmt wenigstens Decken mit«, sagte Franzis Mutter und drückte Marie einen Stapel in die Arme.
Kurz darauf saßen sie in ihrem Hauptquartier. Dort war es wirklich sehr kalt. Franzi hatte eigentlich vor einer Stunde den Bullerofen anheizen wollen, es dann aber über dem Surfen komplett vergessen.
Fröstelnd zog Marie die Schultern hoch und wickelte sich in eine der Wolldecken ein. Franzi stellte den Plätzchenteller auf den Tisch und Kim streckte sofort die Hand danach aus.
»Hmm, Zimtsterne! Köstlich, deine Mutter ist ein Genie.«
»Ich werde es ihr ausrichten«, sagte Franzi und musste grinsen. Sie kannte niemanden, der so versessen auf Süßigkeiten war wie Kim. Besonders bei Schokolade konnte sie nicht widerstehen.
Genüsslich schleckte Kim auch noch den letzten Krümel von den Fingern. »Jetzt muss ich aber aufhören, ich bin sowieso schon viel zu dick.«
Franzi stöhnte: »Du bist nicht zu dick.«
»Doch, bin ich«, sagte Kim. »Meine Jeans werden immer enger.«
»Du bist nicht dick«, sagte auch Marie. »Aber wenn du dich nicht wohlfühlst, dann unternimm halt was, treib Sport oder so.«
Kim sah Marie entsetzt an. »Ich hasse Sport!«
Franzi wechselte schnell das Thema, bevor Kim noch weiter herumjammerte. »Also, Leute«, sagte sie. »Kommen wir zu unserem heutigen Tagesordnungspunkt. Was wollen wir für unser Detektivbüro anschaffen?«
»Ich dachte, *du* hast recherchiert?«, fragte Marie zurück.

Franzi wurde rot. »Ja, schon. Ich war auf so einer Seite für Profidetektive. Super Sachen, aber schweineteuer.«
»Hast du was ausgedruckt?«, hakte Marie nach, obwohl sie genau mitbekommen hatte, dass Franzi mit leeren Händen aus ihrem Zimmer gekommen war.
»Leider nicht«, sagte Franzi. »Ich wollte ja, aber dann …«
Marie zog die linke Augenbraue hoch. »Typisch!«
»Was heißt hier typisch?«, wehrte sich Franzi.
»Jetzt streitet nicht!« Kim ertrug es nicht, wenn Marie und Franzi aneinandergerieten. »Dafür hab ich was mitgebracht.« Sie holte ein Blatt Papier aus ihrem Rucksack.
Neugierig beugte Marie sich vor. »Was ist das?«
»Eine Liste über die Ausrüstung der *Drei ???*«, antwortete Kim. »Ich bin mal meine *Drei-???*-Krimis durchgegangen und hab mir notiert, was die so alles haben.«
»Tolle Idee«, sagte Franzi.
Kim nickte. »Ich habe die Bücher ja auch verschlungen. Besonders gut fand ich immer den Peilsender.«
»Den kannst du gleich vergessen«, sagte Franzi. »Der ist viel zu teuer. Dafür reicht unser Geld nicht.«
»Es gibt noch genug andere Sachen«, sagte Kim und las die Punkte auf ihrer Liste vor: »Digitalkamera und Handys haben wir schon, aber wie wär's mit Wanzen oder einem Metallsuchgerät? Und hier: Fingerabdruckset, Mikroskop, Kartenmaterial, Lexika und ein Fotolabor.«
Franzi hörte aufmerksam zu. »Ein Fotolabor brauchen wir nicht, oder? Wir können unsere Fotos doch sofort am PC angucken und brennen.« Die anderen nickten. »Aber ein Metallsuchgerät finde ich spannend.«

»Ich weiß nicht«, meinte Marie. »Wie oft werden wir das benutzen? Ich bin mehr für das Fingerabdruckset. Das ist absoluter Standard für jede Detektivausrüstung.«
Kim nickte. »Da hast du Recht.«
»Was gehört eigentlich alles zu so einem Set?«, wollte Franzi wissen.
Kim wusste es. »Grafitpulver und ein Pinsel zum Abpinseln der Gegenstände. Außerdem Klebeband zum Abziehen und Spezialpapier. Darauf klebt man das Klebeband und schon werden die Fingerabdrücke sichtbar.«
»Cool«, sagte Franzi. »Das klingt gar nicht so teuer. Das sollten wir uns auf jeden Fall anschaffen.«
Kim strahlte. »Dann sind wir uns da ja schon mal einig.«
»Und was ist mit Fußspuren?«, fiel Marie ein. »Dafür brauchen wir Gips, oder?«
»Ja, genau«, sagte Kim. »Mit Gips gießt man Fußabdrücke oder Reifenspuren aus, lässt den Gips hart werden und hat danach das Negativmodell. Gips kostet auch nicht so viel, glaube ich.«
»Okay«, sagte Franzi.
»Kartenmaterial sollten wir uns auch zulegen«, sagte Kim. »Und dann, fürchte ich, ist unser Geld schon alle.«
Franzi schüttelte den Kopf. »Wer weiß? Bevor wir etwas kaufen, sollten wir sowieso erst Kommissar Peters fragen. Sicher hat er eine günstige Einkaufsquelle und kann uns Tipps geben.«
Kommissar Peters war ein Freund von Maries Vater, der in der beliebten Fernsehserie *Vorstadtwache* den Hauptkommissar Brockmeier spielte. Kommissar Peters hatte den drei !!!

bereits bei ihren vorangegangenen Fällen geholfen. Auf ihn und seinen Kollegen, Polizeimeister Conrad, konnten sie sich hundertprozentig verlassen.
»Wir sollten ihn anrufen«, schlug Kim vor.
Marie lächelte. »Das können wir uns sparen. Ich hab ihn schon angerufen und er hat Zeit für uns. Morgen um drei haben wir einen Termin bei ihm im Präsidium.«
»Wahnsinn!«, rief Kim.
»Super«, sagte Franzi. Obwohl sie es manchmal doof fand, dass Marie so reich war und die Beziehungen ihres berühmten Vaters ausnutzte, musste sie zugeben, dass es für ihre Detektivarbeit extrem nützlich war.
Kim stand auf und schnappte sich noch ein Plätzchen. »Okay, dann treffen wir uns morgen um drei beim Kommissar.«
»Und wenn wir die Ausrüstung erst haben«, sagte Franzi, »kommt der nächste Fall bestimmt auch bald.«
Kim nickte. »Das klingt nach unserem Schwur.«
Marie wickelte sich aus ihrer Decke und stellte sich zu den anderen. Die drei Detektivinnen streckten die Arme aus und legten die Hände übereinander. Im Chor riefen sie: »Die drei !!!.« Dann sagte Kim: »Eins!« Franzi sagte: »Zwei!«, und Marie: »Drei!«
Danach hoben sie gleichzeitig die Hände in die Luft und riefen zum Abschluss laut: »Power!!!«
Als sie aufbrachen und Franzi sich gerade von ihren Freundinnen verabschieden wollte, hielt Marie sie am Arm fest. »Kann ich noch ein bisschen bleiben? Wir könnten doch noch Tee trinken oder so …«

Franzi ahnte sofort, dass es Marie eigentlich nicht um den Tee ging. Sonst hatte sie es nach den Treffen immer furchtbar eilig, weil sie entweder zur Gesangsstunde oder zum Aerobic oder in die Theater-AG musste. Marie wollte nämlich später Sängerin oder Schauspielerin werden.
Marie warf ihre langen, blonden Haare zurück. »Ist Stefan zufällig da?«
Franzi grinste. »Tut mir leid, da muss ich dich enttäuschen. Stefan hat heute seine BWL-AG.«
Es war ein offenes Geheimnis, dass Marie bis über beide Ohren in Franzis großen Bruder verknallt war, aber zugegeben hätte sie das natürlich nie im Leben.
»Ach so …«, sagte Marie. »Hm. Ich glaube, ich muss doch los. Ich muss … äh … noch für meine nächste Gesangsstunde üben.«
»Klar«, sagte Franzi. »Dann viel Spaß!«
Sie gingen nach draußen und Franzi warf Kim hinter Maries Rücken einen übertrieben schmachtenden Blick zu, mit dem sie Marie nachahmte. Kim musste sich zusammenreißen, um nicht laut loszulachen.

Ein neuer Fall

Als die drei Detektivinnen um die Ecke bogen, wären sie beinahe mit Franzis Vater zusammengestoßen. Der redete auf eine Frau ein, die ihren Dackel an der Leine hatte und anscheinend gerade bei ihm in der Tierarztpraxis gewesen war. Franzi runzelte die Stirn. Komisch! Sonst begleitete ihr Vater seine Kunden nie bis zur Gartentür.
Rasch gab sie Marie und Kim ein Zeichen. Sofort zogen sich die drei !!! ein Stück zurück und lehnten sich gegen die Backsteinmauer. Franzis Vater hatte sie ebenso wenig bemerkt wie seine Begleiterin. Die beiden waren so vertieft in ihr Gespräch, dass sie nichts um sich herum wahrnahmen.
Kim prägte sich wie immer in Sekundenschnelle die Personenbeschreibung ein: Die Frau war circa 1,60 Meter groß, Mitte vierzig, hatte glatte braune, kinnlange Haare, eine runde Brille und war etwas füllig. Ihre Kleidung, der braune Mantel und die Strickmütze, wirkte ziemlich bieder.
»Das muss ein schlimmer Schock für Sie gewesen sein«, sagte Dr. Winkler. »Das tut mir wirklich leid, Frau Tonde.«
»Danke«, sagte Frau Tonde. »Sie sind so lieb, Herr Doktor. Sie haben sicher viel zu tun. Ihr Wartezimmer …«
Der Tierarzt unterbrach sie. »Ich bitte Sie, das ist doch selbstverständlich.«
Franzi sah Marie und Kim ratlos an. War etwa ein Verwandter der Frau plötzlich gestorben?
Da redete Frau Tonde weiter: »Ich kann es einfach nicht fassen. Wer tut denn so was, am helllichten Nachmittag!«

»Ich weiß es leider auch nicht«, sagte Franzis Vater. »Aber die Polizei wird bestimmt nicht lockerlassen.«
Die drei !!! horchten auf. Polizei? Ging es hier um ein Verbrechen?
Frau Tonde seufzte. »So viele schöne Dinge haben sie mitgenommen: den Schmuck meiner Großmutter, das Tafelsilber – mein Hochzeitsgeschenk – und die Münzsammlung meines Mannes. Was da alles für Erinnerungen dran hängen, das lässt sich mit Geld gar nicht aufwiegen.«
Franzi sah Marie und Kim mit strahlenden Augen an. Das hörte sich doch ganz nach einem neuen Fall an! Dass es so schnell gehen würde, hätte sie allerdings nicht gedacht.
»Ja«, sagte Dr. Winkler. »Ich wünsche Ihnen, dass die Einbrecher bald geschnappt werden. Und vielleicht haben sie die gestohlenen Dinge ja noch nicht verkauft.«
»Das wäre zu schön«, sagte Frau Tonde.
»Wuff!«, machte ihr Dackel und zog an der Leine.
Frau Tonde schniefte kurz. »Schon gut, Timmi, wir gehen ja schon nach Hause. Zum Glück warst du nicht da, als die Einbrecher gekommen sind. Also vielen Dank noch mal, Herr Doktor.«
»Keine Ursache. Auf Wiedersehen, Frau Tonde«, sagte Franzis Vater und verschwand wieder in seiner Praxis.
Die drei !!! warteten gerade so lange, bis sich die Tür hinter ihm geschlossen hatte. Dann verließen sie ihr Versteck und stürmten auf die Frau zu.
»Huch!«, rief Frau Tonde. »Habt ihr mich aber erschreckt. Wo kommt ihr denn auf einmal her?«
Der Dackel knurrte die drei !!! an und verteidigte mit ge-

fletschten Zähnen sein Frauchen. Kim und Marie wichen lieber einen Schritt zurück.
Franzi blieb stehen und lächelte entschuldigend. »Das tut uns leid, wir wollten Sie nicht erschrecken. Ich bin Franzi Winkler, die Tochter des Tierarztes.«
»Ach«, sagte Frau Tonde, »das ist ja nett. Dein Vater hat schon viel von dir erzählt, nur Gutes natürlich.« Dabei zwinkerte sie Franzi zu. Ihr Dackel hörte auf zu knurren.
»Wir haben zufällig gehört, dass bei Ihnen eingebrochen wurde«, sagte Kim und suchte dabei in ihren Hosentaschen nach den Visitenkarten ihres Detektivclubs. Sie streckte Frau Tonde die Karte hin. »Wir sind Detektivinnen. Können wir Ihnen ein paar Fragen stellen?«
Frau Tonde nahm zögernd die Karte entgegen und las halblaut vor, was darauf stand:

»Ich weiß nicht«, sagte sie. »Ich hab doch der Polizei schon alles erzählt. Und ich hab jetzt eigentlich keine Zeit. Timmi will nach Hause …«

Doch der Dackel schien zu verstehen, dass es hier um einen ernsthaften Kriminalfall ging, und setzte sich brav auf sein rundes Hinterteil.
Frau Tonde zögerte immer noch.
»Bitte!«, bat Marie und setzte ihr strahlendes Lächeln auf, mit dem sie jeden herumkriegte, besonders die Jungs an der Schule. »Wir müssen auch nicht hier in der Kälte herumstehen. Kommen Sie, da drüben im ehemaligen Pferdestall ist es schön warm.«
»Na gut«, willigte Frau Tonde schließlich ein.
Die drei !!! lotsten sie in ihr Hauptquartier und boten ihr einen Stuhl und Zimtsterne an. Frau Tonde setzte sich. Ihr Dackel stibitzte sich sofort ein Plätzchen und verfolgte danach neugierig, was passierte.
Kim holte ihr Heft heraus, das sie als Detektivtagebuch für unterwegs benutzte. »Also, bei Ihnen wurde eingebrochen«, fing sie an. »Wann war das denn genau?«
»Gestern zwischen drei und vier Uhr am Nachmittag«, antwortete Frau Tonde.
Kim notierte sich die Tatzeit.
Währenddessen fragte Franzi weiter: »Verraten Sie uns, wo Sie wohnen?«
»Das ist kein Geheimnis«, sagte Frau Tonde. »Ich wohne mit meinem Mann und meiner Tochter in der Turmstraße 12. Wir haben das Reihenhaus am Ende der Straße.«
Marie überlegte. »Haben Sie einen Verdacht, wer der Täter sein könnte? Haben Sie vielleicht Feinde in der Nachbarschaft?«
Frau Tonde sah Marie entrüstet an. »Wie kommt ihr denn

darauf? Nein, wir haben eine sehr gute nachbarschaftliche Gemeinschaft in unserer Straße.«

»Entschuldigen Sie«, sagte Marie. »Das wollte ich gar nicht bezweifeln. Aber es hätte ja theoretisch sein können. Haben Sie sonst irgendeine Vermutung, was den oder die Täter angeht?«

Frau Tonde schüttelte den Kopf. »Nein.«

Jetzt schaltete sich Kim wieder ein. »Die Tatzeit ist wirklich ungewöhnlich. Zwischen drei und vier Uhr war es draußen noch hell. Normalerweise nutzen Einbrecher die Dunkelheit, um nicht bemerkt zu werden. Abends ist die Wahrscheinlichkeit auch größer, dass die Bewohner nicht zu Hause sind.«

»Das ist ja das Merkwürdige«, sagte Frau Tonde. »Ein Einbrecher am Nachmittag? Davon hab ich noch nie gehört. Dabei bin ich sonst nachmittags fast immer daheim. Aber an diesem Tag bin ich ins Krankenhaus zu einer Freundin gefahren.«

Franzi stutzte. »Merkwürdig! Das klingt fast so, als ob der oder die Einbrecher wussten, dass sie freie Bahn hatten.«

»Ja, genau«, sagte Frau Tonde. »Ich kann mir das nicht erklären.«

»Haben Sie vielen Leuten von Ihrem Krankenhausbesuch erzählt?«, fragte Marie.

»Nein«, sagte Frau Tonde. »Ich bekam den Anruf erst am Tag davor, als meine Freundin ihr Baby entbunden hatte. Ich hab es nur meinem Mann und meiner Tochter erzählt.«

Die drei !!! sahen sich ratlos an.

Kim klappte ihr Heft zu. »Vielen Dank, Frau Tonde. Sie

haben uns sehr geholfen. Wir werden der Spur sofort nachgehen.«
»Na, vielleicht habt ihr ja Glück«, sagte Frau Tonde, »die Polizei ist auch nicht perfekt. Tolle Idee übrigens mit eurem Detektivclub. Als ich so alt war wie ihr, hab ich auch oft Detektiv gespielt.«
Sie stand auf und ihr Dackel sprang ertappt hoch, doch Frau Tonde merkte gar nicht, dass er in der Zwischenzeit den Plätzchenteller komplett leer gefressen hatte.
»Die Idee mit dem Detektivclub hatte Kim«, erzählte Franzi. »Wir sind auch ziemlich erfolgreich und haben schon mehrere Fälle gelöst. Eine Frage noch. Wie heißt denn Ihre Tochter?«
»Sofie«, antwortete Frau Tonde.
Franzi tauschte einen Blick mit Marie. Den Namen hatte sie schon mal gehört. Sofie Tonde ... Plötzlich fiel es ihr ein. »Geht Ihre Tochter öfter ins Jugendzentrum?«
Frau Tonde nickte. »Ja, wieso?«
»Dann kennen Franzi und ich sie«, sagte Marie. »Wir sind auch ab und zu im Jugendzentrum. So ein Zufall. Können wir Ihre Tochter auch noch zu dem Einbruch befragen?«
»Natürlich«, sagte Frau Tonde. »Aber seid nicht enttäuscht, wenn ihr nicht viel Neues von ihr erfahrt, sie ist zurzeit nicht gerade gesprächig. Hängt oft stundenlang am Computer herum in irgendeinem Chatroom.«
Franzi musste innerlich grinsen. Bis vor kurzem hätte sie nicht verstanden, wie man in Chatrooms versinken konnte. Heute hatte sie eine Ahnung davon bekommen.
»Komm, Timmi!«, sagte Frau Tonde.

Im letzten Moment fiel Franzi noch ein nach der Telefonnummer zu fragen. Frau Tonde gab sie ihnen und Franzi speicherte sie gleich in ihrem Handy.
Als die drei !!! wieder alleine waren, sagte Franzi: »Unglaublich! Wir haben einen neuen Fall.«
»Ich kann es auch noch nicht fassen«, sagte Kim.
Marie lächelte. »Gut, dass wir morgen einen Termin bei Kommissar Peters haben.«

Franzi war ein bisschen zu spät dran. Na ja, eigentlich ziemlich spät. Fünfzehn Minuten nach dem vereinbarten Termin kratzte sie mit ihren Inlinern die Kurve, schnallte sie ab, hetzte ins Präsidium und riss die Tür zum Büro des Kommissars auf. Marie und Kim waren schon da und sahen sie vorwurfsvoll an.
»Wo bleibst du denn?«, zischte Marie.
»'tschuldigung«, murmelte Franzi. »Ich hab ein neues Lernprogramm am Computer ausprobiert.«
In Wirklichkeit hatte sie nur ganz kurz das Lernprogramm benutzt und war danach wieder in einem Chatroom für Skater versunken.
Marie glaubte ihr kein Wort. »Klar«, sagte sie nur giftig.
»Setz dich«, sagte Kim. »Wir haben auf dich gewartet.«
»Danke«, sagte Franzi und ließ sich auf einen Stuhl fallen.
Kommissar Peters musterte die drei !!! amüsiert. »Na, dann sind wir jetzt ja vollständig und ihr könnt mir endlich den Grund für euren Besuch verraten. Seid ihr etwa schon wieder an einem neuen Fall dran?«
Marie schüttelte ihre blonden Haare. »Nein. Wir wollten

nur so bei Ihnen vorbeischauen und uns ein paar Tipps holen.«
Franzi schluckte, als Marie den Kommissar einfach anlog. Manchmal setzte sie ihre schauspielerischen Fähigkeiten wirklich hemmungslos ein. Andererseits war es vielleicht gar nicht so schlecht, wenn Kommissar Peters noch nichts von ihrem neuen Fall wusste. So konnten sie ungestört weiterarbeiten und er würde sie nicht wieder davor warnen, gefährliche Ermittlungen im Alleingang zu machen.
»Worum geht es?«, fragte der Kommissar.
»Wir wollen uns neue Ausrüstungsgegenstände für unseren Detektivclub anschaffen«, sagte Kim. Dann erzählte sie begeistert von ihrer Recherche in den *Drei-???*-Büchern und meinte schließlich: »Deshalb haben wir uns unter anderem erst mal für das Fingerabdruckset entschieden.«
Der Kommissar nickte. »Eine gute Entscheidung. Das Wichtigste beim Fingerabdruckset ist der Pinsel. Nehmt nicht irgendeinen billigen Pinsel und spart nicht an der falschen Stelle. Nur Pinsel aus feinem Marderhaar eignen sich hervorragend dafür.«
»Marderhaar?«, fragte Franzi. »Wo kann man denn solche Pinsel kaufen?«
»Dafür müsst ihr in keinen Spezialladen gehen«, sagte Kommissar Peters. »Die findet ihr in jeder guten Kosmetikabteilung – oder vielleicht auch bei euch zu Hause.«
Franzi verstand nur noch Bahnhof.
»Ihr braucht einfach einen Schminkpinsel mit Marderhaar«, riet der Kommissar.
Kim sah Marie von der Seite an, die heute wieder perfekt

geschminkt war, mit Foundation, Puder und allem Drum und Dran. »Hast du zufällig so was zu Hause?«
»Wetten, dass sie nicht nur einen, sondern zehn von diesen sündhaft teuren Marderpinseln im Badezimmer rumstehen hat?«, sagte Franzi.
Marie wurde unter ihrem Make-up rot. »Stimmt gar nicht. Aber zwei, drei Pinsel habe ich schon.«
»Könntest du einen davon entbehren?«, fragte Kim.
Marie zögerte.
»Kann sie natürlich nicht«, zog Franzi Marie auf.
Die sah Franzi wütend an. »Natürlich kann ich das!«
»Wunderbar«, sagte Kommissar Peters und schmunzelte. »Die anderen Sachen für das Fingerabdruckset bekommt ihr günstig in dem kleinen Hobbyladen in der Grasgasse. Habt ihr sonst noch Fragen?«
Die drei !!! ließen sich noch bei der Wahl eines guten Lexikons und beim Kartenmaterial beraten, dann verabschiedeten sie sich.
»Ich wünsch euch viel Glück bei der Suche nach einem neuen Fall!«, rief ihnen der Kommissar noch nach.
»Danke!«, sagten alle drei.
Franzi dachte dabei: Den Fall haben wir schon, jetzt müssen wir ihn nur noch lösen!

Befragung mit Hindernissen

Als Franzi am nächsten Morgen zum Frühstück herunterkam, war Chrissie noch nicht aufgestanden. Typisch, sie kostete immer jede Minute im Bett aus. Wenigstens konnte sie dann nicht nerven. Den Gürtel hatte sie zum Glück in unversehrtem Zustand zurückgegeben.

Dr. Winkler und Stefan stritten wieder einmal darum, wer den Wirtschaftsteil der Tageszeitung zuerst lesen durfte.

»Gib her!«, sagte Stefan. »Ich will später BWL studieren, da muss ich über die neuesten Börsenentwicklungen informiert sein.«

Dr. Winkler faltete ungerührt den Wirtschaftsteil auf. »Du bekommst ihn ja gleich, ich brauche nur fünf Minuten. Danach muss ich in die Praxis.«

Seine Frau schenkte ihm ein Glas Orangensaft ein. »Aber erst trinkst du noch deinen frisch gepressten Orangensaft. So viel Zeit muss sein.«

»Mach ich, Schatz«, sagte Herr Winkler.

Franzi nahm sich eine Scheibe Schwarzbrot und bestrich sie mit Frischkäse. »Wie könnt ihr euch bloß über den Wirtschaftsteil streiten? Da schlafen mir ja die Socken ein, wenn ich den lese.«

»Jeder hat eben seine eigenen Interessen«, sagte Stefan. »Du reitest und das finde ich zum Beispiel todlangweilig.«

Frau Winkler nahm inzwischen den Rest der Zeitung in die Hand. »Also ich mag am liebsten die gemischten Nachrichten im Lokalteil. Klatsch und Tratsch und das Neueste, was

so passiert. Hier, da ist eine Meldung über einen Einbruch.«
Beim Wort »Einbruch« wurde Franzi sofort hellhörig.
Ihre Mutter las laut vor:

Einbruch am Nachmittag

Am Dienstag zwischen fünfzehn und sechzehn Uhr wurde in einem Reihenhaus in der Oststadt ein schwerer Einbruch verübt. Offenbar waren mehrere Täter am Werk. Sie erbeuteten Schmuck, Besteck und Münzen im Wert von über 60.000 Euro. Bei dem Großteil der Beute handelt es sich um alten Familienschmuck. Die Einbrecher gingen systematisch und sehr effektiv vor. Keiner der Nachbarn hat sie trotz der ungewöhnlich frühen Tatzeit bemerkt. Die Bewohner des Hauses waren zum Zeitpunkt des Einbruchs nicht zu Hause. Das legt die Vermutung nahe, dass die Täter über die Lebensgewohnheiten und Termine ihrer Opfer genau Bescheid wussten.

Sachdienliche Hinweise, die zur Überführung der Einbrecher führen, bitte an die Polizeistation Oststadt oder an jede andere Polizeidienststelle.

Franzi nickte langsam. »Alles klar.«
Ihre Mutter machte ein besorgtes Gesicht. »Du wirst doch nicht wieder etwas Gefährliches unternehmen?«
»Nein, nein«, sagte Franzi.
Jetzt gab Dr. Winkler den Wirtschaftsteil freiwillig ab. »Bitte überlass die Ermittlungen der Polizei. Und erzähl deinen Freundinnen nichts davon. Sonst kommen die womöglich auch noch auf dumme Gedanken.«

Franzi biss sich auf die Zunge. Auf eine Diskussion »Detektivarbeit ist viel zu gefährlich für dich« hatte sie wirklich keine Lust.
Rasch stand sie auf. »Ich muss los, sonst komm ich zu spät zur Schule.«
Am liebsten hätte sie die Meldung über den Einbruch ausgerissen und mitgenommen, aber dann wären ihre Eltern sicher noch misstrauischer geworden. Also musste sie mit leeren Händen abziehen.
Den Schulweg legte sie heute in der Hälfte der Zeit zurück. Vor dem Schultor blieb sie stehen und hielt nach Kim Ausschau, die in ihre Parallelklasse ging. Endlich tauchte sie auf. Franzi schob ihre Freundin von den anderen weg in eine ruhige Ecke. »Hast du es schon in der Zeitung gelesen?«
Kim holte ein sorgfältig gefaltetes Stück Papier aus ihrer Jackentasche. »Klar.«
»Wir hatten also Recht mit unserer Vermutung«, sagte Franzi. »Die Polizei glaubt auch, dass die Täter wussten, wann sie ungestört einbrechen konnten.«
Kim nickte. »Ich hab es auch schon Marie gesimst. Wir müssen unbedingt heute ins Jugendzentrum gehen und Sofie ausquetschen.«
»Wann?«, fragte Franzi.
»Um fünf Uhr«, sagte Kim.
Franzi stöhnte. »Erst so spät?«
»Marie konnte nicht früher«, sagte Kim. »Sie hat vorher noch Gesangsstunde.«
Langsam hingen Franzi diese ewigen Gesangsstunden und Theaterproben zum Hals raus. Bloß weil Marie später mal

eine berühmte Sängerin oder Schauspielerin werden wollte, mussten sie die Termine des Detektivclubs immer nach ihr ausrichten.
Da läutete der Schulgong zur ersten Stunde. Kim zuckte zusammen. Franzi wusste, dass sie es hasste, zu spät zu kommen.
»Also dann bis heute Nachmittag«, sagte sie zu Franzi. Und schon war sie weg.
Franzi seufzte. So hatte sie sich die Ermittlungen im neuen Fall nicht vorgestellt.

Diesmal war Franzi überpünktlich. Als sie um Viertel vor fünf das Jugendzentrum betrat, war von Marie und Kim noch weit und breit keine Spur. Franzi sah sich um. Der große Raum mit den gemütlichen Sofas und Sitzkissen an der Wand war ziemlich voll.
»Hi, Franzi!«, sagte Lena. »Machst du mit beim Gitarrenworkshop? Der fängt gleich an, drüben im kleinen Zimmer.«
Franzi schüttelte den Kopf. »Tut mir leid, hab keine Zeit.«
»Schade«, meinte Lena und wandte sich wieder um.
Während die Gitarrengruppe den Raum verließ, ging Franzi zum Internetcafé hinüber. Alle Plätze an den PCs waren belegt. Sofie saß ganz hinten und beugte sich tief über die Tastatur ihres Computers.
»Hallo, Sofie!«, sagte Franzi.
Sofie rührte sich nicht.
»Hallo, jemand zu Hause?«, rief Franzi lauter.
Endlich hob Sofie den Kopf. »Warum schreist du so?«
»Kann ich mal kurz mit dir reden?«, fragte Franzi.

Sofie klebte schon wieder mit den Augen am Bildschirm. »Ja ...«
»Meine Freundinnen Marie und Kim kommen auch noch«, sagte Franzi.
»Sind schon da!«, sagte Marie hinter ihrem Rücken.
Franzi drehte sich um. »Hi!«
Die drei !!! holten sich Stühle und rückten sie an Sofie heran.
»Was soll das denn werden?«, fragte Sofie. »Ein Verhör?«
»Nein, nein«, sagte Franzi. »Kim, Marie und ich sind Detektivinnen und haben vorgestern zufällig deine Mutter getroffen. Bei euch ist doch eingebrochen worden. Der Fall interessiert uns. Können wir dich ein paar Dinge fragen?«
Sofie nickte, wirkte aber nicht gerade begeistert.
»Wo warst du, als es passiert ist?«, fing Kim an, die bereits ihr Detektivtagebuch herausgeholt hatte.
»Hm?«, machte Sofie. Sie hatte offenbar gar nicht richtig zugehört.
»Kannst du diesen Computer mal für fünf Minuten aus den Augen lassen?«, fragte Marie. »Er läuft dir bestimmt nicht weg.«
Nur ungern löste Sofie ihren Blick vom PC. »Wenn's sein muss. Aber macht es kurz, ja? Ihr seht doch, ich chatte.«
»Klar«, sagte Franzi. »Geht ganz schnell.«
Kim wiederholte ihre Frage: »Wo warst du, als es passiert ist?«
Sofie zögerte einen Moment, bevor sie antwortete. »Hier im Jugendzentrum.«
»Wann bist du nach Hause gekommen?«, wollte Marie wissen.
Sofie überlegte. »So um halb fünf.«

»Und?«, hakte Franzi nach. Diese Sofie ließ sich auch wirklich jedes Wort aus der Nase ziehen. »Wie sah es in eurem Haus aus, als du zurückkamst? Ist dir irgendwas Besonderes aufgefallen?«
Sofie zuckte mit den Schultern. »Voll war's. Überall sind Polizisten rumgeschwirrt. Und meine Mutter war total aufgelöst.«
»Vergiss mal die Polizisten«, sagte Kim. »Denk an eure Möbel. Stand etwas plötzlich ganz woanders?«
»Weiß nicht«, sagte Sofie. »Ich glaub nicht. In meinem Zimmer zumindest nicht.«
Franzi tauschte einen genervten Blick mit Marie und Kim. Frau Tonde hatte leider Recht gehabt. Sofie war extrem wortkarg.
»Oder hast du Spuren gesehen?«, fragte Marie weiter.
Sofie schüttelte wieder den Kopf. »Nee. Für Spuren ist doch die Polizei da.«
Kim seufzte. »Ja, aber die kann auch mal etwas übersehen. Mensch, Sofie, denk doch noch mal scharf nach. Jeder Hinweis, auch der allerkleinste, kann total wichtig sein.«
»Die Einbrecher müssen genau gewusst haben, dass ihr um diese Zeit nicht daheim wart«, sagte Marie. »Kannst du dir vorstellen, warum?«
»Nee«, sagte Sofie. »Die haben halt Glück gehabt.«
Franzi lachte kurz auf. »Das glaubst du doch selbst nicht. Einbrecher spazieren nicht einfach auf gut Glück am helllichten Nachmittag in ein Haus rein. Da könnten sie ja gleich vorher bei der Polizei anrufen und denen Bescheid geben, dass sie einen Einbruch planen.«

»Habt ihr Feinde in der Nachbarschaft? Oder Bekannte, die neidisch auf euer Haus sind?«, fragte Marie.
»Quatsch!«, sagte Sofie.
Da fiel Franzi etwas ein. »Oder wurde bei euch in der Nachbarschaft schon öfters eingebrochen? Könnte es ein Wiederholungstäter sein?«
»Einbrüche?«, murmelte Sofie. »Nee, da war nichts.« Dann drehte sie sich wieder zu ihrem Computer um. »War's das? Ich muss jetzt wirklich weiterchatten.«
Marie sah Kim ratlos an und nickte. »Ja, das war's. Danke, Sofie, dass du dir für uns Zeit genommen hast.«
Kim holte eine Visitenkarte des Clubs aus der Hosentasche. »Hier, das ist unsere Karte. Falls dir doch noch was einfällt. Du kannst uns jederzeit mailen.«
Sofie nahm die Karte und warf einen abschätzigen Blick darauf. »*Die drei !!!* – was ist das denn für ein komischer Name? Ich kenne nur *Die drei ???*, diese drei Detektive aus Rocky Beach. Aber ist ja auch egal.« Kim wollte gerade zu einer Erklärung ansetzen, doch Sofie hatte sich bereits wieder dem Bildschirm zugewandt. Die Visitenkarte schob sie achtlos mit einer Hand in ihre Hosentasche, während die andere Hand schon nach der Maus tastete.
Die drei !!! standen unschlüssig herum. Insgeheim hofften sie, dass Sofie im letzten Moment noch auftauen und ihnen ein super Motiv auf dem Präsentierteller servieren würde. Aber da konnten sie lange warten.
Sofie schien bereits wieder vergessen zu haben, dass sie überhaupt da gewesen waren. Sie hing wie hypnotisiert an ihrem Computer.

Franzi sah ihr über die Schulter. Jetzt war sie doch neugierig geworden, in welchem Chatroom Sofie wohl unterwegs war. Plötzlich stutzte sie. Das Logo der Seite kam ihr irgendwie bekannt vor. Sie sah genauer hin und erkannte die tolle Skaterseite, auf der sie auch schon herumgesurft war, sich aber noch nicht zum Chatten angemeldet hatte.
»Ist der Chatroom gut?«, fragte sie Sofie. »Sind da nette Leute dabei?«
Zum ersten Mal wachte Sofie aus ihrer Trance auf. »Das ist *der* Chatroom. Da geht es echt ab. Coole Leute. Die kennen sich alle total gut aus mit Skaten und sind witzig und …«
Kim stieß Franzi mit dem Ellbogen an. »Komm, lass uns gehen.«
»Wieso?«, fragte Franzi. »Das ist doch spannend.«
Marie zog die Augenbraue hoch. »Spannender als unser Fall? Wohl kaum.«
Franzi dachte nicht daran, sich von Marie oder Kim einfach so wegschieben und bevormunden zu lassen. Sie beugte sich zu Sofie vor, doch die war wieder in ihre Trance zurückgefallen.
»Hey, Sofie!«, rief Franzi.
Keine Reaktion.
»Gib's auf«, sagte Kim. »Die ist im Chatfieber.«
»Mist!«, schimpfte Franzi. »Gerade wollte sie mir was erzählen. Das hat mich echt interessiert. Aber ihr musstet sie ja unterbrechen. Toll!«
Marie sah Franzi verständnislos an. »Warum regst du dich eigentlich auf? Es gibt im Moment echt Wichtigeres als diesen bescheuerten Chatroom.«

»Der ist nicht bescheuert«, protestierte Franzi.
Da ging Kim dazwischen. »Müsst ihr dauernd streiten? Das nervt. Lasst uns lieber ins *Café Lomo* gehen und besprechen, wie wir weiter vorgehen.«
»Ja, genau«, sagte Marie. »Wir sollten unbedingt so bald wie möglich an den Tatort. Vielleicht hat die Polizei ja wirklich eine Spur übersehen.«
Franzi nickte. »Klar, aber könnt ihr das nicht alleine bereden? Simst mir einfach, wann ihr den Tatort besichtigen wollt. Ich muss los.«
»Du kannst uns doch nicht einfach alleine lassen«, sagte Kim. »Wir sind *drei* !!!, nicht zwei. Schon vergessen?«
»Nein«, sagte Franzi. »Mach kein Drama draus. Ich muss wirklich los.«
Marie verzog spöttisch die Mundwinkel. »Lass mich raten: Du willst chatten, in diesem albernen Skater-Chatroom.«
»Wenn du's genau wissen willst: Ja!«, sagte Franzi. »Zufällig hab ich auch mal was vor. Sonst sprintest du ja immer zu deinen Trällerstunden.«
Marie wollte gerade eine giftige Gegenbemerkung machen, als Kim abwinkte. »Lass sie ruhig. Wir kommen schon ohne sie klar. Komm, ich lade dich auf einen *Kakao Spezial* ein!«
»Gute Idee!«, sagte Marie, hakte sich bei Kim unter und zog mit ihr ab.
Franzi sah ihnen nach und spürte einen kleinen Eifersuchtsstich in ihrer Brust. Leise murmelte sie: »Zicken!«

Eine halbe Stunde später kam sich Franzi vor wie am ersten Schultag. Sie betrat zwar kein reales Schulgebäude, sondern

nur einen virtuellen Raum, war aber trotzdem mindestens genauso aufgeregt. Was würde sie alles erwarten? Bis jetzt hatte sie nie richtig ernsthaft gechattet, es mal ausprobiert, klar, aber diesmal hatte sie das Gefühl, dass sich gleich eine neue Welt für sie öffnen würde. Sie hatte sich angemeldet und lange überlegt, welchen Nickname sie nehmen sollte. Eine Weile hatte sie zwischen ein paar Skater-Fachbegriffen geschwankt, fand das dann aber doch zu langweilig und hatte sich schließlich für *Apple* entschieden. Obwohl sie sonst kein großer Esser war: Auf Äpfel hatte sie immer Lust. Außerdem musste sie bei *Apple* immer an Gwyneth Paltrows süße Tochter denken. Gwyneth Paltrow war eine super Schauspielerin und besonders toll war sie in dem Krimi-Remake von Alfred Hitchcocks *Ein perfekter Mord.*
Franzi verfolgte eine Weile die Gespräche der anderen. Sie unterhielten sich darüber, welche Klamotten man zum Skaten tragen sollte. Gab es in dem Chatroom etwa nur lauter Modefreaks?
Franzi holte tief Luft und schrieb ihren ersten Kommentar:

Apple: Sagt mal, worum geht es hier eigentlich? Ums Skaten oder um eine doofe Modenschau?

Sofort antworteten drei Leute auf einmal.

Powerfrau: Bist du auch eine von denen, die immer in ihren ältesten Schlabberhosen unterwegs sind?
Groove: Wieso hast du was gegen Modenschauen? Bist du so hässlich? :->

Han Solo: Hallo, Apple! Endlich mal jemand, der hier wieder auf den Punkt kommt. Ich finde auch, dass Klamotten Nebensache sind. Wie lange skatest du denn schon?

Franzi beschloss Powerfrau und Groove einfach zu ignorieren und nur Han Solo zu antworten. Der schien wirklich nett zu sein.

Apple: Hallo, Han Solo! Ich skate schon seit fünf Jahren. Zum Glück wohne ich ziemlich weit draußen. Ich brauche nur aus der Haustür zu fallen und kann gleich losfahren.
Han Solo: Toll! Blöd nur, dass es zurzeit so saukalt ist. Angeblich soll es morgen Glatteis geben.
Han Solo: Kennt ihr übrigens den schon? »Hat man über dein Auge gleich kühle Umschläge gemacht?«, fragt der Sportarzt einen Inlineskater, der bei Glatteis gestürzt ist. »Nein, nur dumme Witze!«, antwortet der Skater.
Apple: Der ist gut! Kannte ich noch gar nicht.
Powerfrau: Stimmt, ist echt gut. Aber zurück zum Glatteis. Schlimm finde ich vor allem die Kälte, *bibber*. Da bleib ich lieber zu Hause.

Gerade wollte Franzi weiterschreiben und sich über die wehleidige »Powerfrau« lustig machen, da klingelte ihr Handy. Es war eine SMS von Kim.

Hi Franzi!
War toll mit Marie im Café. Wir haben danach noch das Fingerabdruckset gekauft. Treffen uns morgen um elf am Tatort.

Frau Tonde ist da und zeigt uns alles. Sei pünktlich!
Kim

Franzi runzelte die Stirn. Die Bemerkung über das »tolle« Treffen mit Marie hätte Kim sich auch sparen können. Und dass sie jetzt einfach das Fingerabdruckset alleine gekauft hatten, war wirklich gemein. Da wäre sie so gern dabei gewesen.
Wütend legte sie ihr Handy weg und konzentrierte sich wieder auf den Chatroom. Inzwischen ging es längst um ein anderes Thema und sie musste schnell lesen, um wieder auf dem Laufenden zu sein.
Als sie sich gerade einklinken wollte, platzte Chrissie zur Tür herein. »Hallo! Sag mal, leihst du mir noch mal deinen tollen Gürtel?«
»Nein!«, rief Franzi.
Chrissie runzelte die Stirn. »Was ist denn mit dir los?«
»Nichts!«, rief Franzi. »Ich will einfach meine Ruhe.«
»Kein Problem«, sagte Chrissie. »Du brauchst mir nur deinen Gürtel zu geben und ich bin sofort wieder weg.«
Franzi schüttelte den Kopf. *»No way!«*
Chrissie zog eine beleidigte Schnute. »Dann eben nicht. Aber das nächste Mal leih ich dir auch nichts mehr, das kannst du vergessen.« Damit rauschte sie hinaus.
Franzi stöhnte. Hatten sich heute etwa alle gegen sie verschworen? Genervt loggte sie sich aus und fuhr den Computer herunter. Vor lauter Unterbrechungen war ihr die Lust am Chatten vergangen.

Am Tatort

Am nächsten Tag trafen die drei !!! ausnahmsweise gleichzeitig am Tatort ein. Doch Kim war nicht allein. Sie hatte Michi Millbrandt mitgebracht, einen Freund, der ihnen auch schon bei früheren Fällen geholfen hatte.
»Hi, Marie, hi, Franzi«, sagte Michi und lächelte sie mit seinen blaugrünen Augen an.
»Hallo, Michi!«, sagte Franzi. Dann zischte sie Kim hinter seinem Rücken zu: »Warum hast du nichts davon gesagt, dass er dabei ist?«
Kim zuckte mit den Schultern. »Tut mir leid, war keine Absicht. Michi kennt sich mit Fingerabdrücken aus. Er hat so was schon mal gemacht.« Dabei sah sie ihn bewundernd an. Jeder konnte auf den ersten Blick sehen, dass sie bis über beide Ohren in ihn verknallt war – nur Michi schien immer noch ahnungslos zu sein.
Franzi hatte eigentlich nichts dagegen, dass er bei der Tatortbesichtigung dabei war, sie regte sich nur langsam darüber auf, dass Marie und Kim alles im Alleingang machten, nur weil sie einmal früher gegangen war. Höchste Zeit, dass sie die anderen daran erinnerte, dass es sie auch noch gab.
»Worauf warten wir?«, fragte sie ungeduldig.
Kim lächelte Michi immer noch selig an und Marie war damit beschäftigt, in einem Autospiegel ihr Make-up zu überprüfen.
»Ich komme ja schon«, sagte Kim, während Marie extra langsam ihren Lippenstift in die Handtasche steckte.

Zu viert gingen sie auf das Haus zu. Franzi versuchte sich alles genau einzuprägen. Es war eines dieser neuen Reihenhäuser, wie sie zurzeit überall in der Stadt aus dem Boden schossen: Außenfassade aus Holz, ein winziger Vorgarten und dafür eine großzügige Garage. Der Vorgarten der Tondes unterschied sich von den anderen dadurch, dass mindestens zehn Gartenzwerge darin herumstanden.
Entschlossen drückte Franzi auf die Klingel. Sofort fing Timmi an zu bellen und von innen an der Tür zu kratzen.
Frau Tonde machte auf und der Dackel schoss wie eine wütende Furie heraus. Automatisch wichen Kim und Marie zwei Schritte zurück.
Franzi ließ sich von Timmis Gebell nicht einschüchtern. »Hallo, Kleiner«, sagte sie und bückte sich zu ihm hinunter. Der Dackel vergaß zu bellen und schnupperte an ihrer Hand. Dann wedelte er mit dem Schwanz.
»Schön, dass du mich wiedererkennst«, lachte Franzi. »Jetzt brauchst du dich auch nicht mehr aufzuregen, oder?«
Timmi wedelte noch heftiger mit dem Schwanz.
»Du kannst aber gut mit Hunden umgehen«, sagte Frau Tonde. »Das hast du sicher von deinem Vater. Timmi freundet sich nämlich normalerweise nicht gleich mit jedem Fremden an.«
Franzi lächelte. »Danke.«
Kim zeigte auf Michi. »Das ist übrigens Michi Millbrandt. Er hilft uns bei unseren Ermittlungen.«
»Ihr legt euch ja richtig ins Zeug«, sagte Frau Tonde. »Die Polizei hat leider noch keine Spur. Ich sitze wie auf Kohlen und habe schon dreimal im Präsidium angerufen, aber Kom-

missar Peters hat mich jedes Mal vertröstet. Dann kommt mal herein. Ihr seid meine große Hoffnung.«
»Danke«, sagte Marie.
Neugierig betrat Franzi als Erste das Haus. Den Flur zierte eine kitschige Blümchentapete. Neben Gartenzwergen sammelte Frau Tonde auch noch Hunde aus Glas, Plastik und Keramik, die überall auf kleinen Tischchen im Flur herumstanden.
Frau Tonde führte sie ins Wohnzimmer, das fast komplett mit einer himmelblauen, plüschigen Couchlandschaft ausgefüllt war. Timmi sprang auf den größten Sessel und sah erwartungsvoll drein.
»Wollt ihr euch nicht setzen?«, fragte Frau Tonde. »Kann ich euch einen Tee anbieten, Kekse?«
Marie schüttelte den Kopf. »Nein danke, wir würden gerne gleich loslegen. Welche Zimmer haben die Einbrecher denn durchwühlt?«
»Das Wohnzimmer, das Schlafzimmer und das Arbeitszimmer meines Mannes«, antwortete Frau Tonde. »Die anderen Zimmer, auch das von Sofie, haben sie in Ruhe gelassen. Wahrscheinlich hatten sie nicht so viel Zeit. Hier im Wohnzimmer haben sie die Bauerntruhe aufgerissen und das ganze Tafelsilber gestohlen, samt Schatulle.«
»Verdammt«, sagte Kim. »Dürfen wir?«
Frau Tonde nickte. »Natürlich.«
Kim öffnete ihren Rucksack und holte eine Lupe heraus. Zusammen gingen sie zur Truhe. Da fing Timmi an zu knurren.
»Ruhig, Schätzchen«, sagte Frau Tonde. »Es ist alles in Ordnung, das sind Freunde, die uns helfen wollen.«

Der Dackel schien nicht so recht daran zu glauben und ließ die drei !!! nicht aus den Augen.
Michi blieb ein wenig zurück, doch Marie drängte sich neben Kim und beugte sich tief über die Truhe. Franzi konnte gar nichts sehen.
»Lasst mich auch mal ran«, beschwerte sie sich.
Kim gab ihr die Lupe. »Es gibt keine besonderen Spuren. Kein Kratzer, nichts. Da sind nur Reste von Grafitpulver. Wahrscheinlich von der Spurensicherung der Polizei.«
Frau Tonde nickte. »Ja, genau. Man hat aber leider nur die Fingerabdrücke von meinem Mann und mir gefunden.«
Franzi nahm die Lupe in die eine und ihre Taschenlampe in die andere Hand. Kim hatte Recht. Die Außenseite und die Schubladen der Truhe waren unversehrt.
Marie tastete vorsichtig die Böden der leeren Schubladen ab. »Hier ist auch nichts, nur ein bisschen Staub.«
»Schade«, sagte Franzi.
»Zeigen Sie uns dann das Schlafzimmer?«, bat Kim.
»Gern«, sagte Frau Tonde.
Sie gingen wieder durch den Blümchenflur hinüber. Das Schlafzimmer auf der rechten Seite hinten war ganz in Rosa gehalten. Eine Häkeldecke lag auf dem breiten Doppelbett. Ansonsten gab es nur zwei Nachttische – mit besonders scheußlichen Dackeln drauf – und eine altmodische Kommode mit kitschigen rosa Engeln.
Frau Tonde zeigte auf die Kommode. »Dadrin hatte ich den Schmuck von meiner Großmutter aufbewahrt. Wenn meine Großmutter noch lebte, würde sie bestimmt einen Nervenzusammenbruch bekommen.«

Franzi befürchtete schon, Frau Tonde würde gleich anfangen zu weinen und auch einen Nervenzusammenbruch bekommen. Doch sie schniefte zum Glück nur ein bisschen in ihr Taschentuch.
Die drei !!! machten sich wieder an die Arbeit. Diesmal hielt Michi die Taschenlampe, so dass sie abwechselnd die Kommode untersuchen konnten.
»Nichts!«, sagte Marie.
Franzi gab die Hoffnung noch nicht auf. Schließlich hatten sie das Arbeitszimmer im ersten Stock noch vor sich.
Dies schien der einzige Raum im ganzen Haus zu sein, der nicht mit Dackeln überschwemmt war. Auch sonst hatte Herr Tonde seiner Frau offenbar verboten sich hier gestalterisch auszutoben. Außer dem großen Schreibtisch gab es nur schlichte, graue Regale, gefüllt mit ein paar dicken Büchern und einer großen, mit schwarzem Leder überzogenen Kassette.
»Waren die Münzen in dieser Kassette?«, fragte Franzi.
Frau Tonde nickte. »Ja, genau.«
Sie öffneten den Deckel, doch außer vier leeren Samtfächern, auf denen man noch die Abdrücke der gestohlenen Münzen erkennen konnte, fanden sie nichts.
Mist!, dachte Franzi und wechselte einen Blick mit Marie und Kim. Die anderen machten genauso enttäuschte Gesichter. Waren sie etwa völlig umsonst hergekommen? Niedergeschlagen gingen sie noch mal an den Regalen entlang und sahen sich die Bücher an. Es waren lauter dicke, medizinische Wälzer.
»Ist Ihr Mann Arzt?«, fragte Michi.

»Ja«, sagte Frau Tonde. »Er arbeitet in der Kinderklinik.«
Franzi kroch auf dem Boden am Regal entlang. Plötzlich stieß sie einen überraschten Schrei aus. »Leute, da ist was! Dahinten, hinter dem einen Fuß vom Regal liegt ein kleines graues Plastik-Feuerzeug.«
Frau Tonde kam näher. »Feuerzeug? Wo kommt das denn her? Also von uns ist das nicht!«
Marie horchte auf. »Es stammt wirklich nicht von Ihrem Mann oder von Ihnen? Kann es sein, dass jemand anderes es hier verloren hat?«
Frau Tonde überlegte. »Nein, ich bin ganz sicher. Außerdem habe ich hier erst vor kurzem gründlich geputzt und da lag noch kein Feuerzeug auf dem Fußboden. Und wir hatten in den letzten Tagen auch keinen Besuch.«
»Und die Polizei hat das Feuerzeug nicht gesehen?«, hakte Kim nach.
»Nein«, sagte Frau Tonde. »Aber vielleicht hat es einer der Polizisten hier verloren.«
»Das ist sehr unwahrscheinlich«, sagte Franzi.
Triumphierend sahen sich die drei !!! an.
»Meint ihr etwa ...«, fing Frau Tonde an und schnappte nach Luft.
Marie nickte. »Es wäre zumindest möglich, dass einer der Einbrecher das Feuerzeug hier verloren hat.«
Kim ging schnell zurück ins Wohnzimmer und kam mit ihrem Rucksack zurück. »Vielleicht sind Fingerabdrücke darauf. Das werden wir gleich sehen. Ich habe unser Fingerabdruckset dabei.«
Frau Tonde kam aus dem Staunen gar nicht mehr heraus.

»Ihr könnt Fingerabdrücke abnehmen?«
»Natürlich, das haben wir schon oft gemacht«, behauptete Marie mit einem kurzen Seitenblick zu ihren Freundinnen.
»Das stimmt«, sagte Michi.
Frau Tonde lächelte. »Wenn das so ist, seid ihr ja richtige Profis. Worauf wartet ihr noch? Legt los!«
Das ließen sich die drei !!! nicht zweimal sagen. Gespannt verfolgte Franzi, wie Kim das Fingerabdruckset auspackte. Alles sah tatsächlich sehr professionell aus. Nur beim Marderhaarpinsel mit dem rosafarbenen Stiel musste Franzi grinsen. Maries Schminkpinsel hätte eher in ein Barbieset als in ein Detektivset gepasst. Aber egal, Hauptsache, er funktionierte.
Kim wollte das Feuerzeug schon anfassen, da hielt Franzi sie im letzten Moment zurück. »Stopp! Du willst doch nicht etwa neue Fingerspuren hinterlassen und die alten verwischen?«
Michi hielt ihr ein Paar dünne Gummihandschuhe hin. »Könnt ihr die jetzt vielleicht gebrauchen? Kim hatte mich doch gebeten welche zu besorgen.«
»Ja, klar, danke!«, sagte Kim und wurde knallrot.
Franzi biss sich auf die Lippe. Das wäre beinahe schiefgegangen. So kannte sie Kim gar nicht. Sie war sonst immer die Vernünftige im Club, aber offenbar hatte sie sich so sehr in Michi verknallt, dass ihr Gehirn aussetzte, sobald er in ihrer Nähe war.
Marie konnte es auch nicht fassen und warf Franzi einen entsetzten Blick zu. Schnell griff sie nach dem Pinsel, während Kim die Handschuhe anzog. Franzi öffnete inzwischen

die Dose mit dem Grafitpulver. Vorsichtig hob Kim das Feuerzeug hoch. Marie tauchte den Pinsel in das Grafitpulver und pinselte das Feuerzeug ab. Und tatsächlich kamen drei runde, schwarze Fingerabdrücke zum Vorschein.
»Volltreffer!«, sagte Frau Tonde und strahlte über das ganze Gesicht. »Ihr seid genial, Mädchen.«
»Abwarten«, meinte Franzi. »Nur wenn wir sehr viel Glück haben, gehört das Feuerzeug tatsächlich dem Einbrecher und es sind seine Fingerabdrücke.«
Kim zog jetzt die Fingerabdrücke mit Klebeband ab und presste das Band auf ein Stück Spezialpapier.
Marie zückte die Lupe. »Hm, die Abdrücke sind etwas verwischt.«
»Ach so«, sagte Frau Tonde. Das Strahlen auf ihrem Gesicht verschwand.
»Am besten bringen wir Kommissar Peters die Abdrücke«, schlug Franzi vor. »Er kann sie im Labor überprüfen lassen.«
Michi nickte. »Gute Idee. Dasselbe wollte ich auch gerade vorschlagen.«
»Ihr müsst mich aber sofort anrufen, sobald ihr etwas wisst, ja?«, sagte Frau Tonde.
»Klar«, sagte Kim. »Entweder melden wir uns selber oder Kommissar Peters wird Sie anrufen.«
Frau Tonde ging hektisch im Zimmer auf und ab. »Ich bin ja so aufgeregt. Plötzlich gibt es doch eine Spur. Jeder Tag zählt, jede Stunde, in der diese gemeinen Verbrecher unsere schönen Sachen vielleicht noch nicht verkauft haben.«
Kim packte das Fingerabdruckset wieder ein und verstaute das Feuerzeug sowie das Spezialpapier mit den Fingerabdrü-

cken in einem Extra-Klarsichtbeutel. »Keine Sorge, wir beeilen uns. Wir gehen sofort ins Präsidium.«
»Soll ich euch mit dem Auto hinbringen?«, fragte Frau Tonde.
»Nicht nötig«, sagte Franzi. »Wir sind mit den Rädern da.«
Sie verabschiedeten sich von Frau Tonde, die ihnen noch lange nachwinkte, als sie längst auf den Rädern saßen. Timmi bellte und rannte noch ein Stück hinter ihnen her.
Michi bog bei der zweiten Straßenkreuzung ab. »Ich kann leider nicht mitkommen, ich hab einen neuen Aushilfsjob in einer Bäckerei.«
»Schade!«, sagte Kim und sah so aus, als würde sie gleich mit Michi mitfahren wollen.
»Tut mir leid«, sagte Michi. »Ich wünsch euch viel Glück. Schickt mir eine SMS.«
Kim lächelte ihn überglücklich an. »Mach ich!«
Dann bog Michi auch schon um die Ecke.
»Jetzt aber los!«, rief Franzi und trat kräftig in die Pedale.
Marie sauste neben ihr her.
»Wartet!«, keuchte Kim von hinten. »Ich kann nicht so schnell.«
Nur ungern bremste Franzi ab. Ihr Herz klopfte bis in den Hals hinauf, doch das kam nicht vom schnellen Radfahren, das war sie schließlich gewohnt. Sie konnte es einfach nicht erwarten, Kommissar Peters ihren tollen Fund zu zeigen. Der würde Augen machen!
Atemlos kamen sie beim Präsidium an und stürmten auf die Wache, weil sie nicht wie sonst einen Termin mit dem Kommissar hatten.

»Wir möchten zu Kommissar Peters«, sagte Marie.
Der diensthabende Polizist grinste spöttisch. »Da könnte ja jeder daherkommen. Wer seid ihr denn überhaupt?«
Kim zückte eine Visitenkarte. »Wir sind Detektivinnen, unser Club heißt *Die drei !!!*.«
Sofort wurde der Polizist freundlicher. »Habt ihr nicht den Castingfall gelöst?«
»Ja, genau«, sagte Franzi ungeduldig. »Können wir jetzt endlich zum Kommissar?«
»Tut mir leid«, sagte der Polizist. »Kommissar Peters hat heute keinen Dienst. Er ist erst wieder am Montag im Haus.«
Franzi stöhnte auf: »Oh nein!«
»Mist«, murmelte Marie.
»Was wollt ihr denn von Kommissar Peters?«, fragte der Polizist neugierig. »Seid ihr an einem neuen Fall dran?«
Die drei !!! schwiegen. Sie würden ihr Geheimnis bestimmt nicht verraten.
Da fiel Kim etwas ein. »Und was ist mit dem Kollegen von Kommissar Peters, Polizeimeister Conrad?«
»Der ist schon da«, sagte der Polizist. »Ich kann ihn anrufen.«
Marie schenkte dem Polizisten einen gekonnten Augenaufschlag. »Tun Sie das bitte!«
Drei Minuten später waren sie endlich im Büro von Polizeimeister Conrad.
»Nanu«, sagte der Polizeimeister. »Was führt euch an einem Samstag hierher? Das muss ja etwas sehr Dringendes sein.«
Kim nickte. »Wir haben ein Indiz im Einbruchsfall in der Turmstraße. Wir haben am Tatort ein Feuerzeug mit Fin-

gerabdrücken gefunden. Hier ist das Feuerzeug und auf dem Spezialpapier sind die Abdrücke.«
Verblüfft starrte Polizeimeister Conrad auf das Papier. »Macht ihr Witze? Wir haben die Spurensuche am Tatort doch längst abgeschlossen. Da war kein Feuerzeug.«
»Doch«, sagte Franzi und erklärte schnell, wo sie das Feuerzeug gefunden hatten.
Polizeimeister Conrad ließ sich in seinen Bürostuhl fallen. »Das ist ja ein Ding. Da habt ihr ganze Arbeit geleistet, nicht schlecht. Allerdings habt ihr womöglich durch unsachgemäßes Vorgehen wichtige Spuren vernichtet. Das wäre fatal. Bitte ruft uns das nächste Mal sofort an und überlasst die Spurensicherung den Fachleuten. Habt ihr verstanden?«
Die drei !!! sahen den Kommissar betroffen an. »Das wollten wir nicht«, sagte Marie. Kim schluckte und sah auf den Boden. »Bitte geben Sie die Abdrücke doch gleich ins Labor. Dann erfahren wir, ob es noch mal gut gegangen ist. Wir warten gerne, bis die Ergebnisse da sind.«
»Da müsstet ihr allerdings hier übernachten«, sagte der Polizeimeister, »und das geht leider nicht. Vor Montag früh werden die Ergebnisse nämlich nicht da sein.«
Franzi runzelte die Stirn. »Warum dauert das denn so lang?«
Polizeimeister Conrad lächelte. »Tja, das Labor ist ziemlich überlastet zurzeit und das Delikt in der Turmstraße ist nicht der einzige aktuelle Ermittlungsfall. Geht nach Hause und genießt euer Wochenende. Wir kümmern uns schon weiter um den Fall.«
»Aber wir haben doch das Beweismaterial geliefert«, sagte Kim entrüstet. »Es ist auch unser Fall.«

»Ihr könnt von Glück reden, dass ihr bei Kommissar Peters gut bekannt seid. Sonst würde ich euch jetzt was erzählen, ›euer Fall!‹, dass ich nicht lache!«, rief der Polizeimeister verärgert. »Ruft am Montag den Kommissar an, der wird euch informieren, vorausgesetzt natürlich, er hat Zeit.«
Unschlüssig standen die drei !!! im Raum. Franzi hatte ein ungutes Gefühl. Polizeimeister Conrad behandelte sie gerade wie kleine Kinder.

Als die drei !!! schließlich draußen standen, sahen sie sich wütend an.
»Was war das denn gerade?«, fragte Kim.
»Der hat uns einfach abgewimmelt«, sagte Marie.
Franzi nickte. »Wir hätten nicht zu ihm gehen sollen. Kommissar Peters hätte uns nie so behandelt.«
»Das hilft uns jetzt alles nichts«, sagte Kim, deren Gehirn wieder auf Vernunft geschaltet hatte. »Das Wichtigste ist, dass die Abdrücke ins Labor kommen. Wir haben getan, was wir tun mussten. Übrigens … äh … tut mir echt leid, dass ich vorhin beinahe die Handschuhe vergessen hätte.«
Marie winkte ab und grinste. »Schwamm drüber. Zum Glück hatte ja Michi, der große Retter, Handschuhe dabei.«
»Wolltest du ihm nicht eine SMS schicken?«, fragte Franzi.
»Das mach ich sofort, wenn ich zu Hause bin«, sagte Kim. »Ich Idiot hab mein Handy vergessen.«
Marie verkniff sich ein Grinsen. »Dein Michi freut sich sicher schon darauf.«
Kim wurde wieder rot. »Er ist nicht *mein* Michi. Könnte eine von euch bitte Frau Tonde anrufen?«

»Das mach ich«, sagte Franzi.
»Danke«, sagte Kim. Dann schwang sie sich aufs Rad und fuhr davon.
Franzi sah ihr nach. »Die hat ja plötzlich einen Turboantrieb. Und vorher hat sie dauernd gekeucht und gestöhnt, sie könnte nicht so schnell fahren.«
»Tja«, sagte Marie mit einem Augenzwinkern. »Liebe verleiht Flügel!«

Verzweifelte Suche im Chat

Detektivtagebuch von Kim Jülich
Samstag, 13:00 Uhr
Heute ist so viel passiert, dass ich gar nicht weiß, wo ich anfangen soll. Unser neuer Fall entwickelt sich super. Kaum hatten wir unser Fingerabdruckset gekauft, kam es auch gleich zum Einsatz.
Wir waren am Tatort und haben Fingerabdrücke gefunden, obwohl die Polizei vorher alles abgesucht hatte! Ich hoffe, dass wir die Abdrücke auf dem Feuerzeug nicht verwischt haben und das Labor etwas herausfindet. Vielleicht stammt es tatsächlich vom Einbrecher und wir können ihn damit überführen.
Frau Tonde war total nett. Solche Leute sollte es öfter geben, dann wäre die Detektivarbeit wesentlich leichter. Sie hat sich sehr viel Zeit für uns genommen, obwohl die Polizei sicher auch schon stundenlang in ihrem Haus zugange war. Und letztlich hat es sich ja für sie gelohnt und wird sich hoffentlich noch weiter lohnen!
Langsam werden wir immer professioneller (bis auf meinen Ausrutscher mit den Handschuhen!!! Wie mir das bloß passieren konnte, oberpeinlich!).
Es macht echt Spaß, Detektivin zu sein. Das Einzige, was dabei leider wieder viel zu kurz kommt, ist mein Krimi. Ich hab zwar gestern und vorgestern wieder ein paar Seiten geschrieben, aber so richtig zufrieden bin ich damit nicht. Nur eines weiß ich jetzt ganz sicher: Es soll um eine große Einbruchsserie gehen, in mehreren Städten. Mal sehen, was mir dazu einfällt.

Geheimes Tagebuch von Kim Jülich
Samstag, 13:15 Uhr
Nochmalige Warnung: Lesen für Unbefugte (alle außer Kim Jülich) streng verboten!
Es gibt natürlich einen Grund, warum mir das mit den Handschuhen passiert ist: Michi! Er war die ganze Zeit so nah neben mir, dass ich an nichts anderes denken konnte als an sein wundervolles Lächeln und seine süßen braunen Haarsträhnen, die ihm immer wieder ins Gesicht fallen. Im Schlafzimmer bei der Kommode hat er die Taschenlampe gehalten und unsere Hände haben sich zufällig für eine Sekunde berührt. Ich habe seine Wärme gespürt. Seine Haut ist unglaublich weich und zart.
Gerade habe ich ihm eine SMS geschickt und er hat sofort zurückgesimst:
Bin auch supergespannt, was im Labor rauskommt.
Bis bald, M.
Die SMS werde ich nie wieder löschen!
Ich werde noch verrückt! Weiß er, dass ich in ihn verliebt bin? Ahnt er etwas? Vielleicht ist er ja auch in mich verliebt und traut sich nur nicht, es mir zu sagen. Jungs haben ja oft Probleme, über ihre Gefühle zu …

Plötzlich knallte ein harter Gegenstand gegen ihre Tür. Kim sprang auf und raste zur Tür. »Was ist los? Ist was passiert?«
»Nö«, sagte Ben und grinste. Sein Zwillingsbruder Lukas stand neben ihm und hielt einen Fußball in der Hand.
»Spinnt ihr?«, fragte Kim. »Ihr habt mir einen Riesenschrecken eingejagt.«
»Wieso?«, fragte Lukas unschuldig.

Kim verdrehte die Augen. Jetzt taten sie auch noch so unschuldig, dabei waren ihre Brüder die frechsten Jungen der ganzen Stadt und ausgerechnet sie musste mit ihnen unter einem Dach leben.
»Wieso, wieso?«, äffte sie Lukas nach. »Ich dachte schon, ihr hättet euch verletzt. Was macht ihr da überhaupt? Mama hat euch doch verboten im Haus Fußball zu spielen.«
Ben sah sie herausfordernd an. »Willst du uns etwa verpetzen?«
»Nein, natürlich nicht«, sagte Kim. »Spielt meinetwegen, was ihr wollt, aber lasst mich in Ruhe.«
Lukas' Augen blitzten. »Echt? Wir dürfen spielen, was wir wollen? Dann wollen wir an deinen Computer, nur für ein kleines Spiel, bitte!«
»Kommt nicht in Frage«, sagte Kim. »Wie oft soll ich euch das noch sagen?«
Damit ließ sie ihre Brüder stehen, knallte die Tür zu und sperrte zweimal ab. Am liebsten hätte sie auch für ihren Computer und ihren Drucker Vorhängeschlösser gehabt, damit die Zwillinge nicht rankonnten. Neulich hatten sie doch glatt ein Papier aus dem Drucker genommen, ausgerechnet eine Seite aus ihrem geheimen Tagebuch. Und dann hatten Ben und Lukas ihren Eltern vorgelesen, dass sie in Michi verknallt war.

Hier haben Ben und Lukas mich unterbrochen. Ich hasse sie! Wo war ich stehengeblieben? Ach ja: Jungs haben oft Probleme, über ihre Gefühle zu reden. Es könnte ja wirklich sein, dass Michi in mich … Wie kann ich das bloß herausfinden? Ihn einfach darauf ansprechen? Nein, lieber versinke ich in Grund und Boden. Ihm eine SMS schicken? Nee, zu unpersönlich. Oder einen Liebesbrief schreiben, so richtig schön romantisch? Ja, das ist es! Aber ich darf nicht zu direkt sein, muss mehr zwischen den Zeilen schreiben, dass ich ihn mag. Okay, ich werde es versuchen. Nur heute nicht mehr. Die blöden Zwillinge haben den letzten Rest Romantik in mir zerstört!

Franzi kam nach der Tatortbesichtigung völlig durchgefroren zu Hause an. Auf dem Rad hatte sie gegen den eiskalten Wind und eklige Schneeschauer ankämpfen müssen. Dabei war ihr wieder Powerfrau aus dem Chatroom eingefallen. Die fuhr bei dem Wetter sicher weder Rad noch skatete sie. Als Franzi um die Ecke bog und ihr Fahrrad in den Schuppen bringen wollte, hörte sie plötzlich merkwürdige, schmatzende Geräusche. Was war das denn? Neugierig drehte sie sich um – und sah ihren Bruder Stefan vor dem Schuppen knutschend mit einem blonden Mädchen.
»Äh, hallo …«, sagte Franzi. »Ich will euch ja nicht stören, aber ich wollte gerade mein Rad …«
Die zwei küssten sich weiter, ohne zu reagieren.
»Hallo!«, rief Franzi lauter. »Kann ich mal vorbei? Ihr steht direkt vor der Tür.«
Jetzt löste sich Stefan aus den Armen seiner neuen Freundin. »Was ist los?«
Franzi wiederholte grinsend ihre Frage.
Endlich kapierte er und schob seine Freundin zur Seite.
»Danke«, sagte Franzi.
Dann betrat sie kopfschüttelnd den Schuppen. Liebe machte

wirklich blind! Erst Kim und jetzt auch noch Stefan. Sie würde sich garantiert nie verlieben und so was wie Kim würde ihr nie im Leben passieren. Die war richtig weggetreten gewesen vorhin. Dabei war doch der Fall gerade so spannend. Jetzt brauchten die drei !!! alle ihre Energie.
Als Franzi aus dem Schuppen kam, knutschte Stefan immer noch mit seiner Freundin. Franzi drückte sich grinsend an den beiden vorbei und ging ins Haus. Auf dem Weg in ihr Zimmer fiel ihr auf einmal siedend heiß Marie ein. Die war ja auch verliebt, und ausgerechnet in Stefan! Wenn sie ihr jetzt erzählte, dass er eine Freundin hatte, würde sie bestimmt in Ohnmacht fallen. Sollte sie es überhaupt erzählen? Es würde ihr wahrscheinlich nichts anderes übrigbleiben, denn spätestens beim nächsten Besuch würde Marie es sowieso live mitkriegen. Franzi seufzte. Das konnte ja heiter werden: ein Detektivclub mit zwei unzurechnungsfähigen Mitgliedern!
Sie beschloss Marie den Samstag erst später zu verderben und vorher eine Stunde gemütlich zu chatten.
Im Skater-Chatroom war einiges los.

Powerfrau: Was habt ihr heute Abend so vor?
Springteufel: Ich geh auf eine Party, abtanzen. *freu*
Apple: Chatten, was sonst ;-)
Groove: Ich weiß was Besseres. Heute kommt eine tolle Doku über Inlineskater im Fernsehen. Müsst ihr euch unbedingt ansehen.
Speedy: Hab keine Lust. Sagt mal, hat einer von euch was von Boba Fett gehört?
Powerfrau: Nein, wieso?

Groove: Stehst du auf ihn, was? *grins!*
Speedy: Spar dir deine blöden Bemerkungen. Die letzten Wochen war Boba Fett immer hier. Und plötzlich, von heute auf morgen, Funkstille. Hat wirklich keiner was von ihm gehört? Es ist wichtig!!
Apple: Ich habe ihn hier noch nicht gesehen, aber ich chatte auch noch nicht so lange.
Groove: Ist 'n ganz cooler Typ, aber keine Ahnung, wo er steckt.
Speedy: Er kann sich doch nicht einfach in Luft auflösen. Ich suche schon seit Tagen in allen möglichen Chaträumen nach ihm. Ich versteh das nicht. Wo ist er nur? Ich muss ihn unbedingt finden. Bitte helft mir!
Powerfrau: Reg dich doch nicht gleich so auf.
Groove: Keep cool, baby!

Franzi ärgerte sich. Hatte hier denn keiner Mitleid mit Speedy? Die schien echt verzweifelt zu sein.

Apple: Tut mir leid für dich, Speedy. Ich weiß zwar nicht, warum Boba Fett nicht mehr hier ist, aber kann ich sonst was für dich tun?
Speedy: Danke, Apple, lieb von dir. Du hast mir schon geholfen.
Apple: Kein Problem. Gerne jederzeit wieder.
Speedy: Ich komm auf dich zu. :-)

Franzi lehnte sich zurück und ließ die anderen weiterchatten. Speedy tat ihr echt leid. Es musste schlimm sein, wenn man jemanden im Chatroom kennengelernt und sich angefreundet hatte und derjenige plötzlich verschwand. Klang ganz danach, als ob Speedy sich in Boba Fett verknallt hatte. Noch eine Verliebte! Heute schien der Tag der Liebeskummeropfer zu sein.

Das erinnerte sie wieder an Marie. Sie musste sie anrufen und ihr reinen Wein einschenken. Franzi holte sich das Mobilteil aus der Ladestation im Flur.

Nach dem fünften Klingeln ging Marie endlich ran. »Marie Grevenbroich?«

»Hi, hier ist Franzi. Wo kommst du denn gerade her?«

»Ich war in unserem Fitnessraum«, antwortete Marie.

Wie selbstverständlich ihr das »unser« über die Lippen kam! Manchmal beneidete Franzi Marie dafür, dass ihr Vater so reich war und sich einen eigenen Fitnessraum leisten konnte.

»Sitzt du?«, fragte Franzi.

»Ja, warum?«, fragte Marie zurück.

Franzi holte tief Luft. »Gut. Ich muss dir nämlich was Unangenehmes erzählen.«

»Sag bloß, du willst nicht mehr bei unserem Club mitmachen! Ist dir etwa das Chatten wichtiger?«

»Quatsch!«, sagte Franzi. »Wie kommst du denn da drauf? Nein, es geht um Stefan.«

»Ist ihm was passiert?«, fragte Marie erschrocken. »Hatte er einen Unfall?«

»Nein«, sagte Franzi. »Jetzt lass mich doch mal ausreden! Stefan hat seit neuestem eine Freundin.«

Schweigen in der Leitung.

Franzi hakte nach: »Hast du mich verstanden?«

»Ja.« Maries Stimme klang plötzlich heiser. »Bist du … bist du dir wirklich sicher?«

»Hundertprozentig sicher«, sagte Franzi. »Ich hab ihn mit seiner Freundin gesehen. Sie standen vor dem Schuppen und haben sich so heftig geküsst, dass ich dachte, sie fressen sich gleich gegenseitig auf.«

Marie schluchzte auf.

»Hey!«, sagte Franzi. »Das war doch absehbar. Er ist schon ein Jahr lang solo gewesen.«

Marie schluchzte weiter, während sie herauspresste: »Wie heißt sie? Wie alt ist sie? Wie sieht sie aus?«

Franzi überlegte. »Keine Ahnung, wie sie heißt. Stefan hat sie mir nicht vorgestellt. Ich schätze, sie ist siebzehn oder achtzehn. Und wie sie aussieht? Sie ist blond.«

»Ist sie hübscher als ich?«, fragte Marie.

»Sie sieht ganz gut aus«, antwortete Franzi, »aber ob sie hübscher als du ist, kann ich echt nicht sagen. Er ist mit ihr zusammen, so viel ist klar. Und er scheint ziemlich verknallt zu sein.«

»Nein!«, schrie Marie auf.

»Vergiss ihn lieber«, sagte Franzi. »Er ist sowieso viel zu alt für dich. Und er ist total langweilig, glaub mir, er liest zum Beispiel jeden Tag den Wirtschaftsteil der Tageszeitung, gähn!«

Aber Marie war für rationale Argumente überhaupt nicht zugänglich. »Ich kann ihn nicht vergessen!«

Franzi unterdrückte ein Stöhnen. »Versuch es wenigstens. Du musst dich ablenken, auf andere Gedanken kommen. Hast du Lust, morgen mit mir ins Jugendzentrum zu gehen? Wir könnten Sofie noch mal befragen. Vielleicht ist sie ja

gesprächiger als beim letzten Mal und erinnert sich an ein Detail, das uns zu den Tätern führt.«
»Ich weiß nicht …« Marie schnäuzte sich lautstark.
Franzi ließ nicht locker. »Bitte. Gib dir einen Ruck!«
»Nein«, sagte Marie. »Ich kann das nicht. Geh mit Kim hin.«
»Wir sind aber zu dritt«, beharrte Franzi. »Lass uns nicht hängen.«
»Tut mir leid«, sagte Marie und fing schon wieder an zu heulen. »Mach's gut, ciao!« Damit legte sie einfach auf.
Fassungslos starrte Franzi auf den Hörer. Sie hatte ja damit gerechnet, dass Marie sich aufregen würde, aber dass sie gleich so verzweifelt sein würde, hatte sie nicht erwartet. Wie sollten sie so in dem Fall bloß weiterkommen?
Schnell schickte sie eine SMS an Kim.

Hallo Kim!
Kommst du morgen mit ins Jugendzentrum, S. noch mal befragen? Um 15 Uhr?

Nach ein paar Sekunden kam die Antwort.

Kann leider nicht. Meine Mutter schleppt uns zu einem Wohltätigkeitsfest. Ätzend!
Willst du alleine gehen? Ich ruf dafür übermorgen gleich Kommissar Peters an.
Kim

Schade. Okay, dann geh ich alleine. Bis Montag!
Franzi

Zweiter Versuch

Franzis Laune war auf dem Tiefpunkt, als sie am nächsten Nachmittag ins Jugendzentrum kam. So hatte sie sich die Detektivarbeit nicht vorgestellt: einsam und allein! Wie sollten die drei !!! denn bloß so erfolgreich ihren Fall lösen?
Ohne große Hoffnung sah sich Franzi um. Wetten, dass Sofie heute nicht da war? Das würde genau in ihre Misserfolgs-Serie passen. Doch im Internetcafé saß Sofie auf demselben Platz wie vor zwei Tagen. Franzi kam es vor, als hätte sie ihren Platz die ganze Zeit nicht verlassen und würde ununterbrochen chatten, ohne zwischendurch aufzustehen, nicht einmal um zu essen oder zu schlafen.
»Hallo, Sofie!«, sagte Franzi.
Sofie rührte sich nicht.
»Hallo!!«, rief Franzi.
Langsam drehte Sofie den Kopf herum. Ihre Augen waren gerötet und ihr Gesicht sah schmal und blass aus.
»Geht's dir nicht gut?«, fragte Franzi. »Denkst du immer noch an den Einbruch?«
Sofie sah Franzi mit großen Augen an. »Den Einbruch? Ach so, ja, klar.«
Komisch, dachte Franzi. Vor zwei Tagen, als sie über den Einbruch gesprochen hatten, war Sofie noch ziemlich gelassen gewesen. Aber bei manchen Leuten kam der Schock wohl erst später. Sie musste Sofie schonen. Die Arme sah schrecklich aus.
»Unser Detektivclub arbeitet weiter an dem Fall«, sagte

Franzi. »Deine Mutter hat dir sicher erzählt, dass wir womöglich Fingerabdrücke der Einbrecher gefunden haben. Ist das nicht toll?«
Sofie nickte. »Ja, toll.«
»Wir finden die Täter«, sagte Franzi so hoffnungsvoll wie möglich. »Du kannst dich auf unseren Club verlassen.«
Sofie nickte wieder.
»Ist dir inzwischen noch etwas eingefallen?«, fragte Franzi.
»Nein«, sagte Sofie. »Sonst hätte ich dir gemailt.«
Franzi war sich da nicht so sicher. Sofie war so fertig und geschockt, dass Franzi den Eindruck hatte, sie wollte sie bloß abwimmeln, um wieder ihre Ruhe zu haben. Wahrscheinlich chattete sie deshalb auch wie verrückt, um sich von den quälenden Gedanken an den Einbruch abzulenken.
»Sofie«, sagte Franzi sanft, »du kannst mit mir über alles reden. Was ist für dich das Schlimmste an dem Einbruch? Hast du Angst, dass die Täter noch mal in euer Haus kommen? Das ist sehr unwahrscheinlich, glaub mir.«
Sofie schwieg und schielte auf ihren Bildschirm.
»Was bedrückt dich dann?«, bohrte Franzi nach. »Fühlst du dich nicht mehr sicher daheim? Oder hat deine Mutter Angst?«
Sofie schüttelte den Kopf.
»Mensch, rede mit mir!«, sagte Franzi. »Ich hör dir zu und ich sag es auch keinem weiter, versprochen!«
Sofies Augen füllten sich mit Tränen. Und plötzlich sprudelten die Sätze nur so aus ihr heraus: »Es ist nicht der Einbruch, deshalb hab ich keine Angst. Nein, es ist viel schlimmer: Ich hab jemanden verloren, einen Freund. Ich hab ihn

beim Chatten kennengelernt. Wir haben uns so gut verstanden, haben im Chatroom gequatscht und auch geflüstert, jeden Tag, fast jede Stunde. Und jetzt ist er auf einmal weg!«
»Wie weg?«, fragte Franzi.
»Er meldet sich nicht mehr«, sagte Sofie. »Weder im Chatroom noch sonst. Und keiner weiß etwas von ihm.«
Franzi stutzte. Das Ganze kam ihr total bekannt vor. »War dein Freund in dem Skater-Chatroom?«
»Ja«, sagte Sofie. »Erst haben wir viel übers Skaten gequatscht, aber bald auch über alles Mögliche. Er war so witzig und nett und … er hat mich nach meiner Telefonnummer gefragt. Wir haben auch viel telefoniert und …«
»… und du hast dich in ihn verliebt«, beendete Franzi den Satz für sie.
Sofie wurde rot. »Ja, stimmt.«
»Benutzt dein Freund zufällig den Nickname Boba Fett?«, fragte Franzi.
Sofie riss die Augen auf. »Woher weißt du das?«
»Ich kenne ihn selber gar nicht«, sagte Franzi. »Aber als ich gestern im Chat war, hat da ein Mädchen mit dem Nickname Speedy alle Leute nach Boba Fett gefragt. Sie hat mir so leidgetan. Und sie klang genauso verzweifelt wie du.«
Sofie verzog den Mund zu einem schiefen Grinsen. »Ich war das. Ich *bin* Speedy.«
»Nein!« Jetzt war Franzi platt. Auf das absolut Naheliegende war sie nicht gekommen. »Und ich bin *Apple*. Erinnerst du dich an mich?«
»Klar«, sagte Sofie. »Du warst die Einzige, die sich um mich gekümmert hat. Danke noch mal dafür.«

Franzi winkte ab. »Keine Ursache. Aber das heißt, du hast Boba Fett immer noch nicht gefunden?«
»Nein«, sagte Sofie. »Er ist und bleibt verschwunden. Dass er den Chatroom wechselt, könnte ich ja noch verstehen, aber dass er sich nicht mehr bei mir meldet, begreife ich einfach nicht.«
Franzi dachte nach. »Hast du ihn schon angerufen?«
Sofie stöhnte. »Ich rufe ihn ständig an, hab seine Mailbox schon total vollgequatscht. Er hat sein Handy nie an und meine Nachrichten beantwortet er auch nicht.«
»Merkwürdig«, sagte Franzi. »Vielleicht ist er ja verreist?«
Sofie schüttelte den Kopf. »Er arbeitet doch hier in der Stadt und hat erst an Weihnachten Urlaub. Nein, Anton muss da sein.«
»Boba Fett heißt Anton?«, fragte Franzi zur Sicherheit nach.
»Ja«, sagte Sofie. »Wir haben uns schon bald unsere richtigen Namen verraten, gleich beim ersten Chattertreffen.«
Franzi sah Sofie verblüfft an. »Du kennst Anton persönlich?«
»Klar«, sagte Sofie. »Der Chatroom veranstaltet regelmäßig Chattertreffen in verschiedenen Städten. Ich bin extra hundert Kilometer bis Köln gefahren, um Anton zu sehen.«
»Und?«, fragte Franzi. »Wie war's?«
Sofie wurde schon wieder rot. »Toll. Er war unglaublich süß und wollte alles von mir wissen: meine Lieblingsfarbe, mein Lieblingsessen, meine Hobbys und das Erste, an das ich mich erinnern kann. Ich hab ihm von dem Tag im Kindergarten erzählt, als ich …«
»Verstehe«, unterbrach Franzi Sofie, bevor sie noch mehr abschweifte. »Hast du Anton nur einmal getroffen?«

»Nein«, sagte Sofie. »Wir waren auch noch zweimal im Café.«
Franzi wunderte sich immer mehr. Sofie war ja ganz schön mutig – oder einfach nur total unvorsichtig und dumm –, sich mit einem Typen, den sie erst einmal gesehen hatte, gleich im Café zu verabreden.
»War er da auch so … süß?«
»Und wie«, sagte Sofie.
»Wann hast du ihn das letzte Mal gesehen?«, fragte Franzi.
»Vor fünf Tagen«, antwortete Sofie. »Seitdem ist Anton verschwunden und seitdem kann ich weder schlafen noch essen.«
Plötzlich fiel Franzi etwas ein. »Wenn du dir Sorgen machst, besuch ihn doch einfach zu Hause!«
»Das würde ich ja gern«, sagte Sofie, »wenn ich seine Adresse hätte. Ich weiß zwar, dass er in der Nähe unserer Stadt wohnt, aber seine Adresse hat er mir nicht gegeben.«
»Das ist ja doof«, sagte Franzi. »Du kannst also nichts tun?«
Sofie schluckte. »Absolut gar nichts, nur warten. Und immer wieder im Chatroom nachfragen.«
Franzi musste grinsen. »Groove zieht dich bestimmt schon auf, oder?«
»Und wie!«, sagte Sofie. »Dauernd bedrängt er mich, ich soll endlich zugeben, dass ich auf Boba Fett stehe. Natürlich ist er der Letzte, dem ich das auf die Nase binden würde. Du darfst es auch nicht verraten, bitte!«
»Du kannst dich auf mich verlassen«, sagte Franzi. »Das, was wir heute besprochen haben, erfahren nur die beiden anderen vom Detektivclub, sonst niemand.«

»Danke«, sagte Sofie und drehte sich wieder ein Stückchen zu ihrem Computer um.
»Du willst weiterchatten, oder?«, fragte Franzi.
Sofie nickte. »Wenn du nichts dagegen hast …«
»Natürlich nicht«, sagte Franzi. »Viel Glück! Nur eine Bitte hab ich noch: Denk über den Einbruch nach. Vielleicht fällt dir ja doch noch etwas Wichtiges ein.«
Sofie lächelte. »Du kannst dich auf mich verlassen.«
»Okay«, sagte Franzi und diesmal glaubte sie ihr.
Als Franzi wieder auf der Straße stand, hatte sich ihre Laune merklich gebessert. Sie hatte zwar nichts Neues über den Fall herausgefunden, aber dafür hatte sie Sofie aus der Reserve gelockt und auf ihre Seite gebracht. Sich eine mögliche Zeugin warmzuhalten konnte nie schaden. Das war doch schon mal was!

Am Montag in der dritten Schulstunde rutschte Franzi auf ihrem Stuhl herum und sah ständig auf die Uhr. Die Zeiger schlichen heute aber auch extrem langsam voran. Nach einer halben Ewigkeit läutete endlich die Pausenglocke. Franzi sprang wie der Blitz auf und hechtete zur Tür. Dann rannte sie durch die Flure zum Pausenhof. Ganz hinten bei der Treppe wartete Kim bereits auf sie. Sie hatten sich heute Morgen per SMS verabredet.
»Und?«, fragte Franzi atemlos. »Gibt es was Neues?«
»Ich hab Kommissar Peters erreicht«, sagte Kim.
Franzi verdrehte die Augen. »Mach es doch nicht so spannend. Was hat er gesagt? Wie sind die Ergebnisse aus dem Labor?«

»Welche Nachricht willst du zuerst hören?«, fragte Kim zurück. »Die gute oder die schlechte?«
Franzi stöhnte. »Die gute. Aber jetzt rede endlich!«
»Also«, sagte Kim, »die gute Nachricht ist: Wir haben die Fingerabdrücke auf dem Feuerzeug so gut gesichert wie die Profis, sagt Kommissar Peters. Alles bestens.«
»Puh«, rief Franzi. »Das ist ja noch mal gut gegangen!«
Kim nickte. »Ja, Kommissar Peters hat aber betont, dass er unsere Vorgehensweise nicht gutheißen kann. Wir sollen so einen Alleingang nicht noch mal unternehmen. Er hat dabei sehr wütend geklungen. Aber zum Schluss musste er doch lachen und hat irgendwas von ›diese weiblichen Nachwuchsdetektive‹ gemurmelt. Er lässt dich und Marie herzlich grüßen.«
»Danke, danke«, sagte Franzi ungeduldig. »Und zu wem gehören die Fingerabdrücke nun?«
»Das ist die schlechte Nachricht«, sagte Kim. »Kommissar Peters hat die eingescannten Abdrücke des Verdächtigen mit seiner Computerdatei verglichen. In der Datei sind alle Leute aus ganz Europa, die bereits vorbestraft sind oder früher im Gefängnis saßen, mit ihren Fingerabdrücken verzeichnet. Leider hat er keine Übereinstimmung gefunden.«
»Mist!«, rief Franzi.
»Ja, dumm gelaufen«, sagte Kim. »Es wäre ja auch zu schön gewesen. Dann hätten wir unseren Fall so schnell gelöst wie noch nie und der Vorbestrafte säße jetzt schon hinter Gittern. Leider wissen wir gar nichts über den Täter.«
Franzi griff nach Kims Hand. »Doch! Er ist nicht aus Europa oder eben noch nicht vorbestraft oder beides.«

Kim runzelte die Stirn. »Hm, wahrscheinlich hast du Recht. Trotzdem hilft uns das nicht wirklich weiter.«
»Musst du immer so pessimistisch sein?«, fragte Franzi. »Du klingst schon genauso wie deine Mutter.«
»Hör bloß auf mit meiner Mutter«, sagte Kim. »Die nervt mich zurzeit total.«
»Warum das denn?«, fragte Franzi. »Hat sie wieder Angst, weil du so gefährliche Dinge als Detektivin machst?«
Kim schüttelte den Kopf. »Nein, sie spielt verrückt, nur weil ich in der letzten Englischarbeit eine Drei geschrieben habe.«
»Na und?«, sagte Franzi. »Ich schreibe ständig Dreier und meine Eltern sind immer total froh, wenn es kein Vierer ist.«
»Ich schreibe normalerweise nur Einser oder Zweier«, sagte Kim. »Deshalb regt sich meine Mutter ja so auf. Dabei ist das echt Schwachsinn. Ich hatte eben in letzter Zeit ein bisschen viel zu tun mit unserem Club.«
Franzi grinste. »Das hast du ihr aber nicht auf die Nase gebunden, oder?«
»Natürlich nicht«, sagte Kim. »Ich hab ihr erzählt, dass die letzte Englischarbeit besonders schwer gewesen sei und dass viele Dreier bekommen hätten. Das hat sie mir zwar geglaubt, aber trotzdem schaut sie jetzt dauernd in mein Zimmer rein und kontrolliert, ob ich auch ja fleißig lerne.«
»Schrecklich!«, rief Franzi. »Aber die kriegt sich bestimmt bald wieder ein – spätestens wenn sie ihre nächste Wohltätigkeitsveranstaltung plant.«
Kim seufzte. »Hoffentlich hast du Recht. Aber zurück zu unserem Fall. Was machen wir denn jetzt? Wie war übrigens dein Gespräch gestern mit Sofie?«

»Nichts Neues«, sagte Franzi, »zumindest nicht, was unseren Fall betrifft.« Dann berichtete sie kurz, was sie über Sofie erfahren hatte.
»Die Ärmste!«, sagte Kim.
»Tja«, meinte Franzi. »Sofie ist leider nicht die Einzige mit Liebeskummer zurzeit. Marie hat es auch erwischt.«
»Ich weiß«, sagte Kim. »Sie hat mich gestern Abend angerufen und mir eine halbe Stunde lang die Ohren vollgeheult.«
Franzi biss sich auf die Lippe. »Es hat sie echt schlimm erwischt. Wir müssen sie irgendwie rausholen aus ihrem Loch. Sie muss auf andere Gedanken kommen. Wir brauchen sie für unseren Fall, gerade jetzt, wo wir so in der Luft hängen.«
»Ja genau«, sagte Kim. »Wir müssen sie von ihrem Kummer ablenken. Ich hab auch schon eine Idee, wie.«
»Schieß los!«, sagte Franzi.
Kim strahlte triumphierend. »Wir könnten sie losschicken in alle Antiquitätenläden der Stadt, die Tafelsilber und alten Schmuck ankaufen. Sie soll sich als vornehme Kundin verkleiden und die Verkäufer ausfragen, ob jemand diese Dinge angeboten hat.«
»Geniale Idee!«, sagte Franzi. »Dann kann sie mal wieder ihr Schauspieltalent unter Beweis stellen. Wir sollten uns aber vorher von Frau Tonde eine Liste geben lassen mit den genauen Angaben zu dem Schmuck, dem Tafelsilber und den Münzen.«
»Kein Problem«, sagte Kim. »Ich ruf sie an.«
»Dann wäre das ja schon mal geklärt«, sagte Franzi.

Han Solo

Marie war nicht wiederzuerkennen. Franzi musste zweimal hinsehen, bis sie es tatsächlich glaubte: Ihre Freundin sah viel älter aus, man konnte sie jetzt locker für achtzehn halten. Sie hatte ihre blonden Haare toupiert und zu einer aufwendigen Frisur hochgesteckt. Sie trug Stiefel mit hohen Absätzen, einen Mantel mit Pelzbesatz aus dem Kostümfundus des Fernsehsenders, bei dem ihr Vater arbeitete, und eine Handtasche mit glitzernden Perlen. Dazu hatte sie doppelt so viel Make-up wie sonst aufgetragen und ihre Lider mit rauchigem Lidschatten betont. Dadurch fiel es gar nicht auf, dass ihre Augen vom Heulen wegen Stefan ein bisschen verquollen waren. Zwei Tage Überredungskunst hatte es Franzi und Kim gekostet, bis Marie endlich aus ihrem Liebeskummer-Loch herausgekommen war und den Auftrag angenommen hatte.

Jetzt stand sie vor dem Schaufenster des teuersten Antiquitätenladens in der Innenstadt wie eine junge, reiche Managergattin, die den ganzen Tag Zeit hatte, Geld auszugeben. Unauffällig sah sie sich kurz um.

Franzi und Kim nickten ihr mit einer kaum merklichen Bewegung zu. Dann schlenderten sie weiter auf dem Gehsteig auf und ab, kichernd und quatschend, zwei typische alberne Mädchen eben. In Wirklichkeit hielten sie Augen und Ohren offen und beobachteten jeden Passanten ganz genau. Schließlich wollten sie dafür sorgen, dass Marie ungestört mit der Verkäuferin reden konnte.

Jetzt wurde es ernst: Sie betrat den Laden. Franzi und Kim warteten ein paar Sekunden, dann folgten sie ihrer Freundin. Marie war bereits im angeregten Gespräch mit der Verkäuferin, einer Dame in einem schwarzen Kostüm.
»Was ich suche?«, sagte Marie mit einer langsamen, gezierten Stimme. »Ich habe da sehr genaue Vorstellungen, müssen Sie wissen. Für mich ist Schmuck nämlich nicht einfach Schmuck.«
Die Verkäuferin lächelte. »Sie haben ja so Recht … Sucht ihr etwas Bestimmtes?«, fragte sie plötzlich und drehte sich misstrauisch zu Franzi und Kim um.
»Nein«, sagte Kim höflich. »Wir sehen uns nur ein bisschen um.«
»Wir wollen unserem Vater etwas Schönes zum Geburtstag schenken, aber wir wissen noch nicht genau, was«, ergänzte Franzi.
Die Verkäuferin war beruhigt. »Gut. Wenn ihr Fragen habt, kommt einfach auf mich zu.«
»Vielen Dank«, sagte Kim.
Endlich wandte sich die Verkäuferin wieder an Marie. »Entschuldigen Sie bitte! Jetzt bin ich ganz für Sie da. Haben Sie an eine bestimmte Art von Schmuck gedacht?«
Marie überlegte eine Weile, obwohl sie genau wusste, was sie sagen wollte. »Nun ja … ich liebe vor allem Schmuck aus den 20er-Jahren. Können Sie mir da etwas zeigen?«
Die Verkäuferin ging zu einer Glasvitrine. »Selbstverständlich. Hier hätte ich zum Beispiel einen wunderschönen Opalring für Sie: 750er-Gold gestempelt, mit vier sehr gut erhaltenen Opalen.«

Marie zog eine Augenbraue hoch. »Ganz nett. Aber ich schwärme eher für kleine Kunstwerke aus Email: Broschen oder Medaillons. Da gibt es ganz einzigartige Rosenmuster aus Ostpreußen.«
»Stimmt«, sagte die Verkäuferin. »Sie kennen sich aber gut aus.«
»Kleines Hobby von mir«, winkte Marie bescheiden ab.
»Das tut mir sehr leid«, sagte die Verkäuferin. »Emailschmuck habe ich bedauerlicherweise gerade nicht da.«
Marie verzog die Mundwinkel. »Schade, schade. Und wie sieht es mit einer Garnitur aus? Mir schwebt da ein Armband mit passendem Collier vor, vielleicht etwas aus Grüngold mit Smaragden und Saphiren.«
Franzi blieb vor Staunen der Mund offen stehen. Unglaublich, wie exakt sich Marie die Details der Liste von Frau Tonde eingeprägt hatte und wie sie alles so geschickt in gewählte Sätze verpackte!
»Leider kann ich Ihnen auch da im Moment nichts anbieten«, sagte die Verkäuferin. »Seltsam übrigens, dass Sie danach fragen. Heute Morgen hätte ich nämlich beinahe etwas Schönes hereinbekommen, genau so eine Garnitur und auch einige Emailbroschen aus Ostpreußen, aber …«
»Aber?«, hakte Marie sofort nach. »War der Schmuck beschädigt?«
Die Verkäuferin schüttelte den Kopf. »Nein, nein, er war sogar in ausgezeichnetem Zustand, nur hat der Herr sein Angebot im letzten Augenblick doch noch zurückgezogen.«
Franzi stupste Kim an. Volltreffer gleich im ersten Antiquitätenladen! Damit hatten sie nicht gerechnet.

»Wissen Sie, warum?«, fragte Marie.
»Keine Ahnung«, sagte die Verkäuferin. »Es war so ein netter junger Mann, ich kann mir das auch nicht erklären. Er hat mir erzählt, der Schmuck sei von seiner geliebten Großmutter und er selber könne nichts damit anfangen, weil er Single sei. Tja, vielleicht konnte er sich vom Erbe seiner Großmutter einfach nicht trennen.«
Marie nickte. »Kann ich verstehen. Familienschmuck würde ich auch niemals verkaufen. Wie sah der Mann denn aus? Ich bin nämlich auch Single ...« Sie räusperte sich und lächelte verlegen.
Kim gluckste, biss sich in den Handrücken und beugte sich tief über eine Vitrine, damit die Verkäuferin ihren Lachanfall nicht mitbekam. Marie konnte ganz schön unverfroren sein, wenn es darum ging, an Informationen zu kommen. Dafür beneidete sie ihre Freundin ein bisschen.
Die Verkäuferin lächelte Marie an. »Oh, es war ein sehr attraktiver Mann: groß, schlank, mit braunen, schulterlangen Locken und leicht gebräunt. Ich würde Ihnen ja gerne seine Telefonnummer oder Adresse geben, aber er hat mir keine Visitenkarte gegeben.«
»Schade«, sagte Marie. »Tja, da kann man nichts machen. Trotzdem vielen Dank, auch für die nette Beratung.«
»Gern geschehen«, sagte die Verkäuferin. »Kommen Sie bald mal wieder.«
Marie schlug den Pelzkragen ihres Mantels hoch. »Das werde ich bestimmt. Auf Wiedersehen!«
»Na«, fragte die Verkäuferin Franzi und Kim. »Habt ihr etwas gefunden?«

»Leider nicht«, sagte Franzi und ging mit Kim schnell zur Tür. »Tschüss!«
Kopfschüttelnd sah die Verkäuferin ihnen nach.
Draußen auf der Straße rannten Franzi und Kim Marie hinterher. Im Schillerpark holten sie sie ein.
»Du warst klasse!«, rief Kim.
»Das hätte man echt filmen müssen«, sagte Franzi. »Dein Vater wäre sicher total stolz auf dich.«
Marie lächelte geschmeichelt. »Findet ihr? Ja, ich glaube, ich hab die Verkäuferin ganz gut eingewickelt.«
»Jetzt haben wir eine Personenbeschreibung von einem der Täter«, sagte Kim und holte ihr Detektivtagebuch heraus. »Die muss ich mir sofort aufschreiben: groß, schlank, braune, schulterlange Locken und leicht gebräunt.«
Franzi klopfte Marie auf die Schulter. »Wir sind einen großen Schritt weitergekommen und das haben wir nur dir zu verdanken. Toll, dass du das gemacht hast, obwohl es dir nicht so gut geht.«
Das hätte sie nicht sagen sollen. Schon füllten sich Maries Augen wieder mit Tränen. »Ich halte das nicht aus! Ich muss dauernd daran denken, wie er seine Freundin küsst.«
»Auf seine Schlabberküsse brauchst du wirklich nicht neidisch zu sein«, sagte Franzi. »Ich hab es gesehen und fand es echt eklig.«
Marie schluchzte auf. »Er küsst sicher total zärtlich …«
»Komm«, sagte Kim und legte den Arm um Marie. »Lass uns noch ein bisschen zu dir gehen. Wir könnten uns eine DVD ansehen. Wie wär's denn mit ein paar Folgen der *Vorstadtwache*?«

Marie schüttelte den Kopf. »Nein, ich will nicht. Ich will in mein Bett.«
Kim warf Franzi einen besorgten Blick zu. »Na gut, wie du meinst.«
»Schlaf dich aus«, sagte Franzi.
»Hm«, machte Marie, schnäuzte in ihr Taschentuch und verabschiedete sich.
Kim sah ihr lange nach. »Ich komme mir so hilflos vor. Ich würde ihr ja so gern helfen, aber ich weiß nicht, wie.«
»Ich fürchte, wir können ihr auch nicht helfen«, sagte Franzi, »sondern sie höchstens ablenken. Durch den Liebeskummer muss sie ganz alleine durch.«
»Wahrscheinlich hast du Recht«, sagte Kim. »Und was ist mit dir? Unternehmen wir noch was zusammen? Wir könnten ins Kino gehen.«
Franzi lehnte ab. »Sorry, ich muss dringend nach Hause.«
»Zum Chatten?«, wollte Kim wissen.
»Erraten«, gab Franzi zu. »Der Skater-Chatroom ist echt toll. Lauter sportbegeisterte Leute. Einer heißt Han Solo. Wir haben letzte Woche das erste Mal zusammen gechattet und trotzdem hab ich das Gefühl, ich kenne ihn schon ewig.«
Kim runzelte die Stirn. »Pass bloß auf, dass du nicht auch chatsüchtig wirst wie Sofie. Wir brauchen dich noch für unseren Detektivclub.«
»Keine Sorge«, sagte Franzi. »Also dann, ciao!«
»Ciao, bis morgen«, sagte Kim.
Franzi umarmte ihre Freundin kurz und dann beeilte sie sich nach Hause zu kommen.

Zu Hause setzte sie sich sofort vor den Computer. Ihre Hände zitterten vor Aufregung und ihr Herz klopfte schneller. Ob Han Solo wieder online war? Sie konnte es kaum erwarten, mit ihm zu quatschen. Was sie Kim vorhin nicht erzählt hatte, war, dass sie Han Solo ziemlich süß fand, sehr, sehr süß sogar …
Sie hatte Glück, Han Solo war im Chat!

Han Solo: Weiß jemand, wo das nächste große Skater-Event stattfindet?
Powerfrau: Ich hab mal was gelesen, kann mich aber leider nicht mehr erinnern.
Groove: Ich hasse diese kommerziellen Events!

Schnell tippte Franzi drauflos.

Apple: Ich kann dir weiterhelfen. Das nächste Skater-Event ist in Stuttgart. Die ziehen eine richtig große Show ab mit Wettbewerben, Gewinnspielen, Blade Night und Stunts von berühmten Skatern.
Han Solo: Danke, Apple! Das klingt total gut. Wenn Stuttgart nur nicht so weit weg wäre, *seufz*.
Groove: Geduld, Mann!
Apple: Ich leiste dir gern Gesellschaft beim Warten. :-))
Han Solo: Lieb von dir. Mit dir ist selbst die ödeste Wartezeit bestimmt superlustig und aufregend.
Powerfrau: *sülz!!!*
Groove: Hey, wollt ihr euch gleich hier im Netz abknutschen oder doch lieber noch warten?

Han Solo: Das hör ich mir nicht länger an. Was hältst du davon, zu flüstern?
Apple: Gute Idee. Bist du auch bei ICQ unter demselben Nickname?
Han Solo: Yes!
Apple: Dann bis gleich. Ich warte auf dich.
Groove: Knutsch, knutsch, schmatz! Viel Spaß, ihr Süßen!

Franzi reagierte nicht mehr darauf. Mit zitternden Fingern startete sie ihren ICQ-Clienten. Han Solo war schon da.

Han Solo: Endlich sind wir ungestört, das war ja nicht zum Aushalten.
Apple: Ja, endlich!
Han Solo: Erzähl doch ein bisschen mehr von dir. Was machst du sonst, wenn du gerade nicht skatest?
Apple: Ich reite und hab ein eigenes Pony. Es heißt Tinka.
Han Solo: Das gibt's nicht. Ich reite auch!
Apple: Wie heißt dein Pony? Oder hast du ein Pferd?
Han Solo: Leider weder noch. Ein Pferd kann ich mir nicht leisten. Ich reite in der Reitschule in der Oststadt.
Apple: Echt? Die kenn ich noch von früher. Da war ich auch!
Han Solo: Das kann alles kein Zufall sein. Ich hab das starke Gefühl, wir sind Seelenverwandte. Oder wir haben uns in einem anderen Leben schon einmal getroffen. Vielleicht waren wir dort ja verheiratet?

Franzi zuckte zurück, als hätte sie sich die Finger an der Tastatur verbrannt. Flirtete Han Solo etwa mit ihr?

Apple: Verheiratet? Glaub ich nicht. Jetzt will ich mal was von dir wissen. Was treibst du in deiner Freizeit?
Han Solo: Ich warte täglich 86 400 Sekunden darauf, mit dir zu chatten.
Apple: Sind 86 400 Sekunden 24 Stunden?
Han Solo: Erraten! Hab ich mir mal ausgerechnet, als mir langweilig war. Aber reden wir lieber wieder von dir. Hast du Geschwister, Freunde?
Apple: Ja, ich hab eine große Schwester und einen großen Bruder. Chrissie nervt allerdings ständig. Stefan ist ganz okay. Freundinnen habe ich auch. Sie heißen Kim und Marie. Wir haben zusammen einen ...

Im letzten Moment zögerte sie. Sollte sie verraten, dass sie in einem Detektivclub war? Nein, lieber nicht. Sie löschte den letzten Satz und schrieb stattdessen:

Apple: Wir verstehen uns total gut und telefonieren dauernd, obwohl wir uns sowieso jeden Tag sehen.
Han Solo: Ich würde auch mal gern mit dir telefonieren. Das ist doch viel persönlicher als chatten.
Apple: Ich chatte total gern.
Han Solo: Klar, ich auch. Verrätst du mir trotzdem deine Telefonnummer? Ich behalte sie auch für mich und gebe sie nicht an Groove weiter :-X
Apple: :-o Sehr witzig!

Franzi fing an zu schwitzen. Der ging aber schnell ran! Sollte sie ihm ihre Telefonnummer verraten?

Han Solo: Bist du noch da?
Apple: Natürlich. Du, ich muss leider aufhören. Chrissie kommt gerade rein und nervt. *ätz!!!*
Han Solo: Schade, schade! :-((Treffen wir uns morgen Abend wieder bei ICQ? So gegen 18 Uhr?
Apple: Mal sehen.
Han Solo: Ich bin auf jeden Fall da. Würde mich total freuen. Ciao!
Apple: Ciao!

Franzi loggte sich aus und fuhr den Computer herunter. Das mit Chrissie war natürlich eine Lüge gewesen, eine kleine Notlüge. Irgendwie ging ihr das alles ein bisschen zu schnell. Obwohl Han Solo wirklich süß war!
Moment mal, hatte sie sich etwa verknallt? Nein, sie fand ihn einfach nur nett, sehr nett … Und sie hätte wahnsinnig gerne seine Stimme gehört. Wie sie wohl klang? Tief und rau oder sanft und melodisch?
Da klingelte im Flur das Telefon. Sofort stürzte Chrissie aus ihrem Zimmer.
»Bist du's, Bernd? Ach so … Ja, die ist da. Ich hol sie.«
Eine Sekunde lang glaubte Franzi, Han Solo könnte am Telefon sein, bis ihr bewusst wurde, dass er ihre Telefonnummer gar nicht kannte, *noch* nicht kannte!
Chrissie hämmerte gegen die Tür. »Telefon für dich!«
Franzi nahm Chrissie das Mobilteil aus der Hand. »Hallo?«
»Ich bin's, Kim. Kann ich dir mal was vorlesen?«
Franzi warf sich in ihren Sessel. »Klar, schieß los. Ich bin schon total gespannt auf deinen Krimi.«

»Es ist nicht mein Krimi«, sagte Kim und schwieg danach.
»Was ist es dann?«, fragte Franzi. »Rück schon raus damit.«
»Du darfst es aber keinem weitererzählen«, sagte Kim. »Nicht mal Marie.«
Franzi richtete sich auf. Das klang ja spannend. »Ehrenwort!«
»Also gut«, sagte Kim und holte tief Luft. »Ich habe Michi nämlich einen Brief geschrieben. Ich will ihm sagen, dass ich ihn mag. Weil … weil … vielleicht weiß er das ja nicht. Könnte doch sein.«
Franzi musste grinsen. »Kann ich mir zwar nicht vorstellen, aber Jungs sind manchmal tatsächlich schwer von Begriff.«
»Ja, genau«, sagte Kim. »Also, hör zu und sag mir, wie du den Brief findest.«
»Geht klar«, sagte Franzi.
Kim las mit heiserer Stimme vor:

Lieber Michi!
Ich wollte mich noch mal bei Dir bedanken, dass Du mich vor dem größten Fehler meiner bisherigen Detektivkarriere bewahrt hast. Beinahe hätte ich das Feuerzeug ohne Handschuhe angefasst. Ich kann es immer noch nicht glauben, wie das passieren konnte. Danke Dir!!! Du hast mich vor der Rache meiner Kolleginnen gerettet und die wäre sicher fürchterlich ausgefallen. Wahrscheinlich hätten sie mich in Maries Fitnessraum eingesperrt oder, noch schlimmer – in die Sauna!
An der Stelle wollte ich Dir auch noch sagen, dass ich echt froh bin, dass es Dich gibt. Du bist immer da, wenn ich Dich brauche, und ich fühl mich total wohl, wenn Du da bist. Ich freu

mich schon, wenn wir uns wiedersehen. Über unseren Fall halte ich Dich natürlich auf dem Laufenden.
Viele liebe Grüße!
Deine Kim

»Und, wie findest du ihn?«, fragte Kim.
»Hm«, machte Franzi. »Marie und ich kommen ziemlich schlecht weg. Michi muss ja denken, dass wir deine schlimmsten Feindinnen sind.«
Kim wurde ungeduldig. »Darum geht es doch gar nicht. Ich hab doch nur einen Witz gemacht. Wie findest du die Worte, die meine Gefühle für ihn betreffen? Sind sie deutlich?«
»Ich finde schon«, sagte Franzi. »Bei mir würden sämtliche Glocken klingeln.«
»Was?«, rief Kim. »So eindeutig sind meine Worte? Heißt das, ich werfe mich ihm an den Hals?«
Franzi stöhnte. »Quatsch! Du bist offen, aber nicht zu offen. Er wird sich sicher über den Brief freuen.«
»Meinst du wirklich?«, fragte Kim.
»Ja«, sagte Franzi. Langsam ging ihr Kims ewige Fragerei auf die Nerven.
»Soll ich den Brief so abschicken?«, fragte Kim weiter.
»Nein«, sagte Franzi. »Ich würde noch ein Jahr lang daran feilen und ihn noch tausend Freundinnen zeigen, nur zur Sicherheit.«
Kim lachte. »Okay, okay, hab schon verstanden. Danke dir! Du hast mir echt geholfen. Wie geht's dir eigentlich? Hab ich dich beim Chatten gestört?«
»Nein«, sagte Franzi. »Hab gerade aufgehört.«

Beim Gedanken an Han Solo schoss ihr die Röte ins Gesicht. Wie gut, dass Kim sie nicht sehen konnte!
»Hast du diesen Han Sola wieder getroffen?«, fragte Kim.
»Er heißt Han Solo«, verbesserte Franzi. »Ja, ich hab ihn wieder im Chat getroffen. Und wir haben bei ICQ geflüstert. War total nett. Am Schluss wollte er sogar meine Telefonnummer haben.«
»Du hast sie ihm doch nicht etwa gegeben?«
»Nein«, sagte Franzi, »aber vielleicht gebe ich sie ihm morgen.«
»Tu das bloß nicht!«, rief Kim.
Franzi bereute es fast schon wieder, dass sie ihr von Han Solo erzählt hatte. Kim bauschte immer alles so auf.
»Und warum sollte ich das nicht tun?«, fragte sie genervt. »Bist du eifersüchtig? Du hast doch deinen Michi.«
»Ich bin nicht eifersüchtig«, protestierte Kim. »Ich hab nur neulich einen Artikel über Gefahren beim Chatten gelesen. Gerade in Chatrooms tummeln sich jede Menge Verbrecher. Die locken aus den Leuten die Telefonnummern und Privatadressen heraus und dann betreiben sie damit Missbrauch und ...«
»Jetzt mach aber halblang«, sagte Franzi. »Erstens hab ich Han Solo noch nicht meine Telefonnummer gegeben und zweitens würde ich ihm natürlich meine Adresse nie verraten.«
Kim lachte kurz auf. »Das will ich auch hoffen. Diese Chatrooms sind deshalb so gefährlich, weil du nie wissen kannst, wer hinter deinen Chatpartnern steckt. Manche geben sich extra als Jugendliche aus, um möglichst harmlos zu wirken.

Dabei sind sie in Wirklichkeit alte Knacker, die nur hinter Mädchen her sind …«
»Mal doch nicht gleich den Teufel an die Wand«, sagte Franzi. »Du bist ja schlimmer als deine Mutter.«
Kim seufzte. »Vielleicht hast du Recht. Aber ich wollte dich bloß warnen. Man kann heutzutage nicht vorsichtig genug sein. Das solltest gerade du als Detektivin nie vergessen.«
»Ist das Verhör jetzt zu Ende?«, fragte Franzi.
Kim lachte. »Ja, jetzt lass ich dich in Ruhe. Bis morgen!«
»Bis morgen«, sagte Franzi. »Und schick den Brief ab, lass ihn nicht in deiner Schreibtischschublade verschimmeln.«
»Garantiert nicht«, sagte Kim und legte auf.
Franzi schüttelte den Kopf. Was für ein Tag!

Sofies Geständnis

»Ich hoffe, du hast einen guten Grund für dieses überstürzte Clubtreffen«, sagte Marie zu Kim. »Du weißt doch, dass es mir nicht gut geht.«

Die drei !!! saßen am nächsten Tag in Kims Zimmer, nachdem sie sie per SMS gleich nach der Schule hierherzitiert hatte.

»Der Grund würde mich auch brennend interessieren«, sagte Franzi. »Ich wollte eigentlich heute skaten.«

»Daraus wird leider nichts«, sagte Kim. »Ich habe nämlich einen großen Verdacht, was unseren Fall betrifft, und dem müssen wir unbedingt nachgehen.«

Marie rückte an die vorderste Kante des Schreibtischstuhls. »Welchen Verdacht?«

Kim lächelte. »Franzi hat mich gestern darauf gebracht. Ein Junge aus ihrem Chatroom wollte ihre Telefonnummer haben. Das hat mich sofort an Sofie erinnert.«

»Wieso?« Franzi verstand nur Bahnhof.

»Hast du nicht erzählt, dass Sofie ihrem Chatfreund ihre Telefonnummer gegeben hat?«, fragte Kim.

Franzi nickte.

»Weißt du, ob sie ihm auch ihre Adresse gegeben hat?«

»Keine Ahnung«, sagte Franzi. »Sie hat nur erwähnt, dass sie seine Adresse leider nicht hätte.«

Kim schlug sich mit der Hand auf den rechten Oberschenkel. »Ha! Das bedeutet, sie könnte ihm durchaus *ihre* Adresse gegeben haben.«

»Könntest du endlich mal auf den Punkt kommen?«, fragte Marie genervt.

»Gleich«, sagte Kim. »Wann hat Sofie diesen Anton das letzte Mal gesehen?«

Franzi dachte scharf nach. »Vor fünf Tagen, hat sie geantwortet, als ich sie alleine im Jugendzentrum befragt habe.«

»Die Befragung war doch am Sonntag?«, fragte Kim.

»Ja, genau«, sagte Franzi.

Kim sah ihre Freundinnen triumphierend an. »Sofie hat Anton also am Dienstag vor einer Woche das letzte Mal gesehen. Klingelt es da nicht bei euch?«

Marie zog die linke Augenbraue hoch. »Am Dienstag vor einer Woche wurde bei den Tondes eingebrochen.«

»Bingo!«, rief Kim.

»Du meinst …?«, sagte Marie.

Franzi riss die Augen auf. »… dass es einen Zusammenhang zwischen dem Einbruch und dem Verschwinden von Anton geben könnte?«

»Allerdings«, sagte Kim. »Genau das meine ich. Und deshalb habe ich auch gleich gehandelt. Ich habe Sofie gebeten in einer Viertelstunde ins *Café Lomo* zu kommen, damit wir sie noch einmal befragen können.«

»Toll!«, sagte Franzi. »Da hast du echt ganze Arbeit geleistet.«

Marie sah Kim bewundernd an. »Du hast wirklich einen messerscharfen analytischen Verstand. Auf diese Schlussfolgerung wäre ich nie im Leben gekommen.«

»Übertreib nicht«, sagte Kim. »Dir wäre es vielleicht auch eingefallen, wenn du gestern mit Franzi telefoniert hättest.«

Franzi schüttelte den Kopf. »Ich kann es einfach nicht glauben. Wenn du Recht hast, dann wissen wir in ein paar Minuten vielleicht endlich mehr.«
»So ist es«, sagte Kim. »Kommt, lasst uns aufbrechen. Ich will auf keinen Fall zu spät kommen.«
Diesmal war Franzi ausnahmsweise mal derselben Meinung wie Kim, was das Thema Pünktlichkeit betraf. Die drei !!! ließen ihre halb vollen O-Saft-Gläser stehen und machten sich auf den Weg.
Kurz darauf betraten sie das *Café Lomo*. Franzi mochte das Café. Jedes Mal, wenn sie dort war, musste sie daran denken, dass hier alles begonnen hatte. Im *Lomo* hatten sie sich das erste Mal getroffen, nachdem Kim eine Anzeige im Jugendmagazin geschaltet und nach Mitgliedern für einen Detektivclub gesucht hatte. Aber jetzt hatte Franzi keine Zeit für sentimentale Erinnerungen.
Sofie wartete an der Bar. Sie nippte lustlos an einem Glas Cola und starrte die Flaschen an der Wand an.
»Hallo, Sofie!«, rief Franzi.
Sofie drehte sich um. »Da seid ihr ja endlich. Was wollt ihr denn schon wieder von mir? Langsam nervt ihr mich.«
»Wir haben auch einen guten Grund dafür«, sagte Kim. »Und den werden wir dir gleich erklären.«
Marie deutete auf die Sofaecke. »Wollen wir es uns da drüben gemütlich machen? Da sind wir ungestört.«
»Meinetwegen«, sagte Sofie und nahm ihre Cola mit.
»Immer noch kein Lebenszeichen von Anton?«, fragte Franzi, während sie zur Sofaecke hinübergingen.
Sofie schüttelte traurig den Kopf. »Nichts!«

Die drei !!! ließen sich in die Polster fallen und bestellten drei *Kakao Spezial* mit Vanillearoma zum Aufwärmen.
Als die Bedienung die Getränke gebracht hatte, fing Kim an: »Also, es geht noch einmal um den Einbruch bei euch zu Hause. Mir ist da gestern ein Verdacht gekommen, der unter Umständen zu den Tätern führen könnte.«
Sie erzählte ausführlich den möglichen Zusammenhang zwischen dem Einbruch und Antons Verschwinden am selben Tag, den sie vorhin gerade Franzi und Kim erläutert hatte.
Sofie wurde immer unwilliger, je länger sie zuhörte. »Ihr seid verrückt! Nichts gegen euren Detektivclub, aber ich glaube, ihr verrennt euch da gerade in eine Sache. Anton könnte niemals einen Einbruch begehen. Dazu ist er viel zu nett.«
»Tut mir leid«, sagte Marie. »Nettsein reicht nicht als Grund, dass jemand unschuldig ist. Wir können ja verstehen, dass du nichts auf deinen Anton kommen lässt. Trotzdem müssen wir dich das jetzt fragen: Hast du ihm deine Adresse gegeben?«
Sofie biss sich auf die Lippe. »Er wollte sie unbedingt haben, weil er mir einen Brief schreiben wollte.«
»Natürlich«, sagte Kim. »Und du warst wirklich so leichtsinnig und hast ihm die Adresse verraten?«
»Ja!«, rief Sofie. »Ich hab ihm vertraut, wir sind doch befreundet. Das dachte ich zumindest …«
Franzi warf Marie und Kim einen Blick zu. »Anton hat sich seit dem Einbruch nicht mehr gemeldet. Er ist aus dem Chatroom spurlos verschwunden und er hat auch den Kontakt zu dir plötzlich abgebrochen, ohne Erklärung, einfach so. Das stimmt doch, oder?«

Sofie schniefte. »Ja, das stimmt.«
»Und du hast dich nie gefragt, warum er ausgerechnet am Tag des Einbruchs verschwunden ist?«, meinte Marie. »Sofie! Anton könnte ein gefährlicher Einbrecher sein! Während du im Jugendzentrum warst, hatte er genug Zeit, um bei euch zu Hause Tafelsilber, Schmuck und Münzen mitgehen zu lassen.«
»Anton war es nicht!«, rief Sofie plötzlich laut. »Das weiß ich ganz genau.«
»Das kannst du gar nicht genau wissen«, mischte sich Kim ein. »Schließlich warst du zur Tatzeit nicht daheim.«
Sofie starrte auf ihr Colaglas und murmelte: »Stimmt, aber ich war auch nicht im Jugendzentrum.«
»Was?«, riefen die drei !!! wie aus einem Mund.
»Wo warst du dann?«, fragte Franzi.
Sofie wurde rot. »Ich war mit Anton im Kino, in der Nachmittagsvorstellung.«
Franzi konnte es nicht glauben. Sofie hatte sie bei der ersten Befragung einfach angelogen!
»Warum hast du uns nicht die Wahrheit gesagt?«, wollte Kim wissen.
Sofie druckste herum. »Na ja. Ich wollte euch nicht von Anton erzählen. Das Ganze ist total geheim. Meine Eltern wissen nichts von ihm. Wenn sie das zufällig von euch erfahren hätten, wären sie garantiert ausgerastet.«
»Verstehe«, sagte Kim und seufzte.
»Aber das bedeutet doch, dass Anton unschuldig ist«, sagte Sofie. »Ich bin sein Alibi.«
Marie schüttelte den Kopf. »Das beweist noch gar nichts, im

Gegenteil. Die Polizei geht davon aus, dass mehrere Täter den Einbruch verübt haben. Anton könnte dich als Alibi benutzt haben, während seine Komplizen den Einbruch für ihn erledigt haben. Hat Anton dich denn vorher gefragt, ob deine Eltern an diesem Nachmittag zu Hause sind?«
Sofie dachte angestrengt nach. »Moment mal … ja, er hat mich am Tag vor dem Kino danach gefragt. Ich hab mich zwar ein bisschen gewundert, warum er das wissen wollte, aber er hat gemeint, er möchte eben alles über mich erfahren, wie meine Eltern so drauf sind, was sie in ihrer Freizeit unternehmen, was sie zum Beispiel morgen machen …«
»Siehst du!«, sagte Marie.
Sofie wurde blass. »Nein, das kann nicht sein …«
»Ich fürchte doch«, sagte Kim.
Da fiel Franzi etwas ein. »Wie sieht Anton eigentlich aus?«
»Er ist klein, nur einen Kopf größer als ich, schlank und hat blonde, kurze Haare«, sagte Sofie. »Und er sieht ein bisschen aus wie Brad Pitt, aber er ist natürlich viel jünger. Ungefähr 18, schätze ich.«
Franzi nickte. »Okay.«
Sofies Beschreibung stimmte leider nicht mit der Personenbeschreibung der Verkäuferin aus dem Antiquitätenladen überein. Anscheinend war einer von Antons Komplizen im Laden gewesen.
»Wie heißt Anton eigentlich mit Nachnamen?«, erkundigte sich Marie.
Sofie hob hilflos die Schultern hoch. »Er wollte mir seinen Nachnamen nicht sagen. Er meinte, der sei so hässlich, dass er sich dafür schämen würde.«

»Faule Ausrede!«, zischte Franzi.
»Diesmal hast du uns wirklich weitergeholfen«, sagte Kim. »Deine anderen Aussagen stimmen aber hoffentlich alle?«
»Klar«, sagte Sofie. »Ich lüge nur, wenn es wirklich nicht anders geht.«
»Gut«, sagte Marie und stand auf.
»Wartet!«, rief Sofie. »Was habt ihr denn jetzt vor?«
Franzi setzte ihre Mütze auf. »Weiterermitteln natürlich. Wir halten dich auf dem Laufenden.«
»Und falls Anton sich melden sollte, gib uns sofort Bescheid, ja?«, sagte Kim.
Sofie nickte. »Mach ich, versprochen.«
Die drei !!! verabschiedeten sich von ihr und verließen das Café.
»Puh!«, sagte Marie. »Das ist ja ein Ding. Das muss ich erst mal verdauen.«
»Ich auch«, meinte Franzi.
Auf einmal kam ihr Kims Warnung beim gestrigen Telefonat gar nicht mehr übertrieben vor. Sie musste in Zukunft wirklich aufpassen, wem sie ihre Telefonnummer gab.
»Ich schreibe sofort alle neuen Ergebnisse in mein Computer-Detektivtagebuch«, sagte Kim. »Wir bleiben in Kontakt? Wenn einer von euch noch was Wichtiges einfällt, meldet euch bitte.«
»Geht klar«, sagte Marie.
»Okay, dann bis bald«, rief Franzi und sah Kim nach, die schon wieder ziemlich schnell auf ihrem Fahrrad davonsauste. Mist! Jetzt hatte sie vergessen sie zu fragen, ob sie den Liebesbrief an Michi schon eingeworfen hatte.

Kim hatte es tatsächlich aus zwei Gründen eilig: Erstens wollte sie den Brief an Michi in einen Briefkasten einwerfen, der weit genug weg von ihrer Wohnung war, und zweitens wollte sie zu Hause schnell alles aufschreiben, solange die Eindrücke der Befragung noch frisch waren.
Vor dem nächsten Briefkasten bremste sie ab und holte den Brief aus ihrem Rucksack. Sie drückte ihn noch einmal an ihr heftig klopfendes Herz, bevor sie ihn in den Schlitz steckte.
»Bring mir Glück!«, flüsterte sie.
Dann setzte sie sich wieder aufs Rad und fuhr nach Hause. Beschwingt stieg sie ab und dachte bei jedem Schritt: Michi, Mi-chi, Mi-chi! Sie war so in ihre Gedanken versunken, dass sie fast über Ben und Lukas gestolpert wäre, die mitten in ihrem Zimmer standen.
»Was macht ihr denn hier?«, fragte sie. »Los, raus mit euch!«
Die Zwillinge blieben wie angewurzelt stehen. Erst jetzt sah Kim in ihre Gesichter. Komisch, so belämmert sahen sie sonst nur aus, wenn sie etwas ausgefressen hatten.
»Was ist los?«, fragte Kim. »Habt ihr wieder im Haus Fußball gespielt und Mama hat euch erwischt?«
Die Zwillinge schüttelten die Köpfe.
Kim trat ungeduldig von einem Fuß auf den anderen. »Was ist es dann? Mensch, ich hab echt keine Zeit.«
Lukas zeigte mit zitterndem Finger auf den Computer.
»W… wir h… haben nur ein kleines Spiel gemacht«, stotterte Ben.
»Und dann ist plötzlich der Computer abgestürzt«, sagte Lukas.

Kim sah die beiden fassungslos an. »Ihr habt *was* gemacht?«
»N… nur ein kleines Spiel«, wiederholte Ben.
»Seid ihr jetzt komplett durchgedreht?«, schrie Kim.
Die Zwillinge wichen ängstlich zurück.
»Bevor der Computer abgestürzt ist, kam noch so eine komische Viruswarnung«, sagte Lukas. »Aber das ist bestimmt nichts Schlimmes, deshalb musst du dich nicht aufregen.«
Kim schnappte nach Luft. »Ich reg mich aber auf!«
»Es tut uns total leid«, sagte Lukas.
Aus Bens Augen kullerten zwei dicke Tränen. »Entschuldige, Kim! Wir tun's auch nie wieder.«
»Für eure Entschuldigungen ist es jetzt zu spät!«, fauchte Kim. »Raus hier, aber sofort! Ich muss sehen, was ich noch retten kann.«
Mit hängenden Köpfen schlichen die Zwillinge aus dem Zimmer. Kim sperrte hinter ihnen ab, dann setzte sie sich an den Computer. Ihre Kehle wurde ganz trocken und ihre Hände fingen an zu schwitzen. Wenn der Virus nun alle ihre Dateien gelöscht hatte? Das geheime Tagebuch und das Detektivtagebuch … Sie durfte gar nicht daran denken.
Fieberhaft machte sie sich an die Arbeit. Zum Glück hatte sie schon mal in einem Handbuch gelesen, wie man Viren ausfindig machte und bekämpfte, bevor sie noch größeren Schaden anrichteten. Sie brauchte nur ein paar Sekunden, um den Virus zu finden, doch ihn zu beseitigen kostete sie jede Menge Zeit und Nerven. Endlich, nach einer halben Stunde, lehnte sie sich erschöpft zurück. Geschafft!
Sie fuhr den Computer noch mal herunter und startete ihn neu. Dann überprüfte sie, ob der Virus bereits irgendwelche

Dateien angegriffen hatte. Der Ordner mit dem Geheimtagebuch war unversehrt. Kim atmete auf. Beim Detektivtagebuch war auch alles im grünen Bereich. Kim atmete noch mal auf. Vielleicht war ja gar nichts passiert? Doch als sie die Textdatei mit ihrem angefangenen Krimi suchte, zuckte sie zusammen. Die Datei war weg! Schnell ging sie in den Ordner der Dateien, die der Computer sicherheitshalber gelöscht hatte. Oh nein! Die Krimidatei war die einzige infizierte Datei!

Kim wurde schlecht. Die mühsame Arbeit der letzten Wochen war völlig umsonst gewesen! Da fiel ihr Blick auf den Drucker. Im Papierausgabefach stapelte sich ein dickes Bündel Papiere. Hastig griff sie danach und im selben Augenblick fiel ihr ein, dass sie das komplette Manuskript gestern ausgedruckt hatte, um es noch mal grundlegend zu überarbeiten.

Kim juchzte und tanzte mit den Textseiten durchs Zimmer. Das war Glück im Unglück! Als hätte sie geahnt, was heute passieren würde. Aber die Zwillinge konnten noch was erleben. Mit einer laschen Entschuldigung würden sie dieses Mal nicht davonkommen!

Detektivtagebuch von Kim Jülich
Donnerstag, 15:00 Uhr
Beinahe wäre das Schrecklichste passiert, was einem Detektivclub überhaupt passieren kann: Alle unsere Ergebnisse und Details des Falls wären um ein Haar gelöscht gewesen und ich hätte sie mühsam wieder rekonstruieren müssen. Das verzeihe ich Ben und Lukas nie. Wie oft habe ich ihnen verboten an meinen

Computer zu gehen? Und dann laden sie mir auch noch einen Virus drauf. Das ist echt das Letzte! Diese gemeinen Biester, diese hinterhältigen Kerle …
Aber ich muss mir die Schimpfworte für später aufsparen. Erst muss ich dringend das Detektivtagebuch vervollständigen:

Ergebnisse:
1. Mein Verdacht hat sich bestätigt: Sofies Freund Anton wusste die Adresse der Tondes. Er hat sich durch seine ausführlichen Fragen äußerst verdächtig gemacht.
2. Anton wusste auch, dass zur Tatzeit niemand daheim sein würde.
3. Er hat sich durch Sofie zwar ein Alibi besorgt, hat es aber offensichtlich dazu benutzt, um seinen Komplizen freie Bahn zu verschaffen.
4. Wir haben die Personenbeschreibungen von zwei Verdächtigen.
Anton: ca. 18 Jahre alt, klein, einen Kopf größer als Sofie (Sofies Körpergröße noch erfragen!), schlank, blonde, kurze Haare. Sieht laut Sofie ein bisschen aus wie Brad Pitt.
Zweiter Verdächtiger (wollte das Diebesgut im Antiquitätenladen verkaufen): attraktiv, groß, schlank, braune, schulterlange Locken, leicht gebräunt.

Fragen:
1. Wer ist der zweite Verdächtige? Unbedingt Erkundigungen einziehen bei weiteren Antiquitätenläden.
2. Wer ist Anton wirklich? Hat er Sofie seinen richtigen Namen gesagt? Wie heißt er mit Nachnamen? Ist er bereits vorbestraft?

3. Sind seine Komplizen auch in Chatrooms unterwegs? Wenn ja, wie könnten wir sie ausfindig machen?
4. Planen Anton und seine Komplizen einen weiteren Einbruch? Wie können wir das verhindern?
Fragen über Fragen! Der Fall wird langsam echt anstrengend. Aber wir kommen gut voran, das ist die Hauptsache.

Geheimes Tagebuch von Kim Jülich
Donnerstag, 16:00 Uhr
Ich hab den Brief an Michi tatsächlich eingeworfen! Keine Ahnung, wie ich den Mut dazu gefunden habe. Jetzt kann ich nur noch eins tun: abwarten! Michi wird den Brief voraussichtlich morgen bekommen, aber wenn die Post schläft, vielleicht auch erst übermorgen. Und bis er antwortet, können wieder drei Tage vergehen. Wie soll ich das bloß aushalten?
Michi, bitte schreib mir bald! Hoffentlich findest du den Brief nicht blöd und willst nie wieder was mit mir zu tun haben. Hoffentlich freust du dich und schreibst mir, dass du mich auch magst. Das wäre absolut wunderbar!
Bis bald, Michi! Ich sehne mich so nach dir.

Flüstermails

Franzi freute sich nach der ganzen Aufregung auf einen entspannten Abend zu Hause. Heute war Donnerstag. Irgendwann einmal hatte ihre Mutter den Donnerstagabend zum Familienabend erklärt. An diesem Tag machte ihr Mann die Praxis früher als sonst zu und hatte Zeit für die Familie. Meistens gab es am Donnerstagabend ein besonders gutes Essen und danach spielten sie zusammen, lasen sich Geschichten vor oder sahen sich einen spannenden Film an.
Heute war mal wieder ein Film dran: Im Fernsehen lief *Die Rückkehr der Jedi-Ritter*. Ein Krimi wäre Franzi zwar lieber gewesen, aber der *Star Wars*-Fantasy-Klassiker war sicher auch nicht schlecht und sie kannte weder die alten noch die neuen *Star Wars*-Filme.
Frau Winkler stellte eine große Schüssel Popcorn auf den Couchtisch. »Schön, dass ich euch mal wieder alle zusammen um mich habe!«
»Ich liebe Donnerstagabend«, sagte Dr. Winkler und legte den Arm um die Schultern seiner Frau.
Chrissie verzog das Gesicht. »Ich wäre viel lieber mit Bernd ins Kino gegangen. Ihr immer mit euren doofen Traditionen!«
»Traditionen sind nicht doof«, sagte Stefan. »In der Familie schon gar nicht. Ich hab Sonja auch für heute Abend abgesagt.«
Franzi grinste ihn an. »Und? Schwebt ihr noch auf Wolke sieben?«

»Das geht dich gar nichts an«, sagte Stefan, aber sein Gesicht verklärte sich dabei.
Franzi seufzte innerlich. Arme Marie! Sie musste sich wohl damit abfinden, dass Stefan für einige Zeit vergeben war.
»Ruhe, Kinder!«, rief Dr. Winkler. »Es fängt an.«
Seine Frau drehte den Ton lauter. Die Titelmelodie dröhnte durchs Wohnzimmer. Franzis Vater sang lautstark und ziemlich falsch mit. Er hatte als Kind *Krieg der Sterne* gesehen und schwärmte seitdem davon.
Franzi musste kichern. Andererseits fand sie es auch ein bisschen peinlich, dass sich ihr Vater völlig lächerlich machte. Aber zum Glück sah ja keiner zu. Dann konzentrierte sie sich auf den Film. Die Spezialeffekte waren zwar noch nicht so ausgereift wie heutzutage, aber trotzdem ganz lustig.
»Da!«, rief ihr Vater. »Das ist Boba Fett. Sieht er nicht gruselig aus?«
Besonders vertrauenerweckend wirkte der Typ nicht gerade mit seiner kriegerischen Rüstung. Franzi liefen kalte Schauer über den Rücken. Aber auf einmal stutzte sie. Irgendwoher kam ihr der Name bekannt vor. Hatte ihr Vater schon mal von Boba Fett erzählt? Gut möglich. Aber der Name war ihr doch erst kürzlich begegnet, bloß wo?
Plötzlich fiel es ihr wie Schuppen von den Augen: Anton hatte im Chat den Nickname *Boba Fett* benutzt! Anscheinend war er auch ein *Krieg der Sterne*-Fan. Das Detail konnte vielleicht noch mal wichtig werden. Das musste sie unbedingt Kim erzählen.
Der Film lief weiter und Han Solo kam in Großaufnahme ins Bild. Franzi sah gespannt zu, bis es auf einmal in ihrem

Gehirn weiterratterte. Han Solo?? Han Solo, ihr Freund aus dem Chat! Er war also auch ein *Krieg der Sterne*-Fan.
Stopp, Moment mal! Das konnte doch kein Zufall sein.
»Franzi-Schatz?«, fragte Frau Winkler besorgt. »Du siehst so blass aus. Geht's dir etwa nicht gut?«
»Doch, doch«, sagte Franzi und stopfte sich demonstrativ eine Handvoll Popcorn in den Mund.
Frau Winkler war zufrieden. Solange es ihren Kindern schmeckte, brauchte sie sich keine Sorgen um sie zu machen.
Franzis Gehirn arbeitete inzwischen weiter auf Hochtouren. Boba Fett und Han Solo ... Kaum war Boba Fett aus dem Chatroom verschwunden gewesen, war Han Solo aufgetaucht. Seltsam, nicht? Oder doch ein ganz normaler Zufall – das hieß, es steckten zwei verschiedene Personen hinter Boba Fett und Han Solo, die nichts miteinander zu tun hatten. Oder sie hatten sehr wohl etwas miteinander zu tun und gehörten zur selben Einbrecherbande?
Plötzlich fiel Franzi noch etwas ein: Manche Leute machten sich angeblich einen Spaß daraus, im selben Chatroom unter zwei Nicknames aufzutreten. Konnte es sein, dass Anton alias Boba Fett und Han Solo ein und dieselbe Person waren?
Franzi schluckte. Diese Möglichkeit war so schrecklich, dass sie sie eigentlich gar nicht zu Ende denken wollte. Aber als Detektivin musste sie es tun. Sie musste alle persönlichen Dinge hintanstellen, wenn es um den Fall ging. Aber Han Solo war doch so süß ... Obwohl er schon ziemlich gedrängt hatte, um ihre Telefonnummer herauszukriegen. Mist!
»Habt ihr das gesehen?«, rief Dr. Winkler und sprang vom Sofa auf. »Jetzt beginnt der Angriff auf den Todesstern!«

»Wahnsinnig spannend«, sagte Chrissie gelangweilt.
»Psst!«, machte Stefan.
Franzi hielt es nicht mehr länger vor dem Fernseher aus. Sie musste unbedingt mit Kim telefonieren. Geräuschlos stand sie auf, um sich unbemerkt davonzuschleichen.
Da hielt ihre Mutter sie zurück. »Franzi, wo willst du denn hin?«
»Mir geht's irgendwie doch nicht so gut«, sagte Franzi. »Ich glaub, ich hab zu viel Popcorn gegessen.«
»Soll ich dir einen Kamillentee kochen?«, fragte Frau Winkler.
Franzi schüttelte heftig den Kopf. »Nicht nötig, ich leg mich einfach ein bisschen hin.«
»Alles klar«, sagte Frau Winkler. »Gute Besserung!«
Franzis Vater hatte von der Unterhaltung nichts mitbekommen. Er fieberte bei dem Film so sehr mit, dass er alles um sich herum vergaß.
Schnell lief Franzi die Treppe hoch, schnappte sich das Mobilteil und zog sich in ihr Zimmer zurück.
»Hallo, Kim? Ich bin's, Franzi!«
Kim redete sofort wie ein Wasserfall los: »Gut, dass du anrufst! Stell dir vor, was mir passiert ist. Ben und Lukas haben einen Virus auf meinen Computer geladen und eine Datei zerstört, die mit meinem Krimi. Die Detektivdatei ist zum Glück noch da. Oh Mann, das war vielleicht ein …«
»Ich hab ein neues Detail zum Fall!«, unterbrach Franzi ihre Freundin.
»Warum hast du das denn nicht gleich gesagt?«, rief Kim aufgeregt. »Los, rück schon damit raus!«

Franzi holte tief Luft und erzählte von ihrem Verdacht, der ihr plötzlich beim Fernsehen gekommen war. Als sie fertig war, kam Schweigen aus der Leitung.
»Was meinst du dazu?«, fragte Franzi. »Du kennst dich doch besser mit Chatrooms aus als ich. Könnte Anton hinter beiden Namen stecken?«
»Mein Bauchgefühl sagt mir, dass da schon was dran sein könnte«, meinte Kim. »Besonders Jungs verwenden in Chatrooms gerne zwei Nicknames. Das gibt ihnen einen besonderen Kick. Andererseits frage ich mich: Ist Anton wirklich so leichtsinnig, zwei Nicknames aus demselben Film zu nehmen? Obwohl, vielleicht fühlt er sich ja so sicher, dass er es gerade lustig findet.«
Franzi stöhnte. »Du hältst es also für möglich. Das hab ich befürchtet. Was machen wir denn jetzt?«
Kim dachte nach. »Schwierig. Bei zwei Briefen wäre es einfacher, da könnte man einfach die Handschriften vergleichen.«
»Tja, das kannst du dir abschminken«, sagte Franzi. »Leider schreibt nicht jeder so altmodische, romantische Liebesbriefe wie du.«
»Lass das Thema bitte aus dem Spiel«, sagte Kim. »Das lenkt mich total vom Nachdenken ab.«
»Sorry«, sagte Franzi.
Wieder war Stille in der Leitung. Doch plötzlich stieß Kim einen spitzen Schrei aus. »Ich hab's! Beim Chatten gibt es zwar keine Handschriften, aber man kann trotzdem die Schreibstile vergleichen. Jeder hat doch seinen ganz eigenen Stil beim Chatten. Besonders beim Flüstern.«
»Du meinst, wir sollten die Flüstermails vergleichen, die

Sofie von Boba Fett bekommen und die ich von Han Solo bekommen habe?«
»Ganz genau«, sagte Kim. »Das ist die sicherste Methode.«
Franzi zögerte. Sie sollte Han Solos Flüstermail herausrücken? In der er ziemlich direkt mit ihr geflirtet hatte? Oh nein, wie peinlich!
»Hast du die Mails etwa nicht gespeichert?«, fragte Kim erschrocken.
»Doch, schon«, sagte Franzi. »Es ist nur … äh … na ja, hast du schon mal was von Privatsphäre gehört?«
»Klar«, sagte Kim. »Aber die muss ich in diesem Fall ignorieren. Komm schon, so geheim werden die Mails doch nicht sein, oder?«
Franzi räusperte sich. »Hm, natürlich nicht. Aber wunder dich nicht, wenn du die Flüstermail siehst. Es ist übrigens nur eine bis jetzt. Han Solo hat dauernd so einen Flirtton drauf, aber das ist bei ihm ganz normal, das macht er auch im Chatroom gegenüber den anderen so.«
Kim kicherte. »Aha, verstehe.«
»Da gibt es gar nichts zu lachen!«, beschwerte sich Franzi.
»Natürlich nicht«, sagte Kim. »Also, dann sind wir uns ja einig, wie wir weitermachen. Ich fürchte nur, heute ist es zu spät, um Sofie noch anzurufen. Mail ihr doch schon mal, sie soll dich dringend zurückrufen. Dann erklärst du ihr morgen das Ganze und sie soll dir so bald wie möglich ihre Flüstermails als Dateianhang rüberschicken. Vielleicht können wir dann ja schon morgen Nachmittag zu dir kommen und die Mails am Bildschirm vergleichen.«
Franzi musste zugeben, dass Kim wieder mal strategisch bril-

lant vorging. »Gute Idee. Ich melde mich dann bei dir, sobald ich von Sofie höre.«
»Okay, bis bald!«, sagte Kim. »Ich bin schon total gespannt.«
»Ich auch«, sagte Franzi und legte auf. Dann stöhnte sie laut. Hoffentlich steckte Han Solo nicht in dem Fall mit drin!

Am nächsten Nachmittag drängelten sich die drei !!! um Franzis Computer. Sofie hatte nach langem Widerstand endlich ihre Flüstermails herausgerückt und rübergeschickt. Kim zeigte Franzi gerade, wie man die Mails in zwei Fenstern nebeneinander öffnen konnte, um sie direkt miteinander vergleichen zu können.
Franzi kam sich in ihrem Bürostuhl vor wie beim Zahnarzt. Gleich würde der Bohrer kommen und ein schrecklicher Schmerz durch ihren Körper fahren. Aber vielleicht gab es ja doch noch eine Chance, dass der Verdacht nicht stimmte und Han Solo unschuldig war! Als die Texte auf dem Bildschirm erschienen, presste Franzi beide Daumen, bis die Fingergelenke weiß wurden, und überflog hastig die Zeilen. Dann wurde sie blass.
»Siehst du auch, was ich sehe?«, fragte Marie.
Kim nickte. »Die Texte sind fast …«
»… identisch«, beendete Franzi leise den Satz.
Um ganz sicherzugehen, las sie drei Passagen aus Sofies Flüstermails halblaut vor. Den Text ihrer Mail hatte sie sowieso auswendig im Kopf.

Boba Fett: Das kann kein Zufall sein. Ich hab echt das Gefühl, wir sind Seelenverwandte. Oder wir haben uns in einem anderen Leben schon einmal getroffen. Vielleicht waren wir dort ja verheiratet?

Boba Fett: Ich warte täglich 86 400 Sekunden darauf, um mit dir zu chatten.

Boba Fett: Verrätst du mir deine Telefonnummer? Ich behalte sie auch für mich und gebe sie nicht Groove. :-X

Franzi konnte es nicht glauben. Boba Fett und Han Solo benutzten dieselben Komplimente und fast denselben Wortlaut in ihren Flüstermails – das hieß, *Anton* benutzte dieselben Komplimente! Dabei hatten Han Solos Worte so persönlich geklungen, sie hatte geglaubt, dass er sie sich nur für sie ausgedacht hatte. Dabei hatte er sie nur benutzt, genau wie Sofie. Dieser gemeine Mistkerl!
»Du kannst echt froh sein, dass du ihm deine Telefonnummer nicht gegeben hast«, sagte Marie.
»Allerdings«, meinte Kim. »Da bist du wirklich gerade noch mal haarscharf an einer Katastrophe vorbeigeschlittert.«
Franzi schloss die beiden Fenster am Bildschirm. »Okay, ich hab die Botschaft verstanden. Das Wichtigste ist: Wir wissen jetzt, dass Anton dieselbe Masche benutzt. Das bedeutet, er will wahrscheinlich auch bei mir zu Hause einbrechen.«
Kim nickte. »Logische Schlussfolgerung. Zum Glück kann er das nicht, weil er weder deine Adresse noch deine Telefonnummer hat.«
»*Noch* nicht!«, sagte Marie plötzlich.
Franzi und Kim rissen die Köpfe zu ihr herum.

»Was willst du denn damit sagen?«, fragte Franzi.
Marie klimperte mit ihren hellgrün angemalten Augenlidern. »Ich glaube, mir ist da gerade was ziemlich Geniales eingefallen.«
Franzi verdrehte die Augen. »Musst du immer so furchtbar bescheiden sein? Was ist dir eingefallen?«
»Sofie hat Anton doch auf einem Chattertreffen das erste Mal persönlich kennengelernt«, sagte Marie.
»Ja, und?«, meinte Franzi.
»Weißt du zufällig, wann das nächste Chattertreffen von diesem komischen Skater-Chatroom ist?«, fragte Marie.
»Ja, übermorgen, am Samstag, hier in unserer Stadt.«
Marie grinste breit. »Wie praktisch! Du solltest zu diesem Treffen auf jeden Fall hingehen und dafür sorgen, dass Anton auch da ist.«
Langsam dämmerte Franzi, was Marie vorhatte. »Das ist nicht dein Ernst! Du willst, dass ich für euch den Lockvogel spiele? Kommt nicht in Frage! Ich werfe mich doch nicht freiwillig in die Arme von diesem gefährlichen Verbrecher!«
»Ach«, sagte Marie. »Jetzt auf einmal nicht? Vor kurzem warst du doch anscheinend noch ganz scharf drauf.«
Wütend funkelte Franzi ihre Freundin an. »Das nimmst du sofort zurück!«
»Wieso?«, fragte Marie unschuldig.
Die Wut in Franzis Bauch kochte jetzt richtig hoch. Sie sprang von ihrem Stuhl auf, um Marie gehörig die Meinung zu sagen.
Doch bevor sie reagieren konnte, ging Kim dazwischen. »Hört auf! Wir haben keine Zeit zu streiten.«

»Du hast Recht«, sagte Marie und warf ihre blonden Haare nach hinten. »Bin wohl gerade ein bisschen gemein gewesen.«
»Ein bisschen?«, fragte Franzi.
»Hey!«, rief Kim. »Was hab ich gerade gesagt?«
Franzi beruhigte sich langsam wieder. Immerhin hatte sich Marie halb entschuldigt.
»Ich finde Maries Vorschlag gar nicht so schlecht«, sagte Kim. »Zu so einem Chattertreffen kommen doch sehr viele Leute, oder? Das halte ich für völlig ungefährlich. Anton wird sich hüten irgendeine gefährliche Aktion zu starten oder dich gar zu bedrohen. Er hätte viel zu viele Zeugen!«
Marie nickte eifrig. »Ja genau. Und du hast die einmalige Gelegenheit, ihn auszuquetschen. Vielleicht verplappert er sich ja, was seine Komplizen oder den Einbruch angeht.«
»Das glaubst du wohl selbst nicht«, sagte Franzi. »So wie er vorgeht, ist er ein Profi. Er darf auf keinen Fall Verdacht schöpfen, dass ich mehr von ihm weiß.«
Plötzlich blitzten Kims Augen auf. »Du musst ihn auch gar nicht ausquetschen. Lass ihn so viele Fragen stellen, wie er will. Und verrate ihm deine Telefonnummer. Wenn er dich näher kennenlernen und im Café treffen will, umso besser. Falls er dann auch bei dir zu Hause einbrechen will, können wir ihn auf frischer Tat ertappen.«
Franzi sah Kim nachdenklich an. Die Idee war wirklich nicht schlecht. Sie hatte nur einen Haken: dass sie selbst in diesem Fall nicht ganz unparteiisch war. Wenn Anton sie beim Chattertreffen nun wieder anflirten würde? Würde sie dem standhalten können?

»Das ist unsere Chance!«, sagte Marie. »Tu's für uns!«
Kim sah Franzi flehend an. »Bitte! Wir brauchen dich.«
Franzi konnte nicht länger Nein sagen. »Okay, aber nur unter einer Bedingung. Ihr müsst mitkommen, inkognito.«
»Klar«, sagte Kim. »Das hatte ich sowieso vor. Wir nehmen unser Aufnahmegerät und die Digitalkamera mit und werden euer Gespräch mitschneiden.«
Franzi nickte. »Das klingt schon viel besser. Ich bin dabei.«
»Hurra!«, jubelte Marie und Kim fiel Franzi um den Hals.
»Am besten flüsterst du gleich jetzt mit Anton und machst ihn auf das Chattertreffen aufmerksam«, schlug Marie vor.
Franzi ließ sich zurück auf ihren Stuhl fallen. »Mach ich sofort, wenn ihr weg seid.«
»Nein, jetzt!«, beharrte Marie.
Franzi stöhnte. Heute blieb ihr aber auch nichts erspart. Mit klopfendem Herzen ging sie zu ICQ und schrieb:

Apple: Gehst du am Samstag zum Chattertreffen? Ich bin auf jeden Fall da und warte auf Seelenverwandte. ;-)

Kim kicherte. »Sehr gut! Da muss er einfach anbeißen.«
Die Antwort kam schon nach ein paar Sekunden.

Han Solo: Hallo, Süße! Wo warst du denn gestern? Habe sehnsüchtig auf dich gewartet.
Apple: Musste mit meiner Familie den Abend verbringen, konnte mich leider nicht abseilen. Tut mir echt leid.
Han Solo: Kein Problem, auf dich warte ich gerne. :-)) Klar komme ich zum Treffen, wenn du dort bist! Freu mich to-

tal auf dich. Wie erkenne ich dich denn? Duftest du nach Äpfeln?

Apple: Kann schon sein bei den vielen Äpfeln, die ich so verdrücke. Aber einfacher erkennst du mich an meinen kurzen, roten Haaren und meinem T-Shirt. Da ist vorne eine große ›14‹ drauf. Mein Name ist übrigens Franzi. Und wie heißt du?

Han Solo: Ich bin der Anton aus Tirol! Spaß beiseite, ich heiße nur Anton. Manche behaupten, ich sehe aus wie Brad Pitt. Finde ich aber nicht. Wie auch immer, ich werde mein hellblaues Han-Solo-T-Shirt anziehen.

Apple: Alles klar. Dann bis Samstag!

Han Solo: Ich zähle die Sekunden.

Schnell loggte sich Franzi aus und wischte ihre feuchten Hände an ihrer Jeans ab. Oh Mann, das war der schwierigste Fall ihrer bisherigen Detektivkarriere!

Marie grinste breit. »Dann mal viel Spaß mit dem Frauenversteher!«

Da musste Franzi lachen. Und plötzlich fiel ihr auf, dass Marie wieder ziemlich gut drauf war.

»Dir geht es ja anscheinend wieder besser«, sagte sie. »Kein Liebeskummer mehr, keine Tränen?«

Marie wurde sofort ernst. »Ein paar schon, aber ich habe keine Lust mehr auf Selbstmitleid. Lieber stürze ich mich voll in unseren Fall.«

»Toll!«, sagte Franzi.

Kim nickte erleichtert. »Finde ich auch. Und jetzt lasst uns noch mal unseren Schwur aufsagen.«

Franzi hatte nichts dagegen. Die Energie würde sie gut brauchen können.
Die drei !!! stellten sich im Kreis auf, streckten die Arme aus und legten die Hände übereinander:
»Die drei !!! – Eins, zwei, drei – Power!!!«

Lockvogel im Einsatz

Äußerlich war Franzi ganz cool: Mit einem unauffälligen Blick in eine Schaufensterscheibe überprüfte sie ihr Outfit. Alles war perfekt: enge Jeans, coole Stiefel, Bikerjacke und darunter natürlich das T-Shirt mit der ›14‹. Dazu die Haare mit Gel strukturiert, schwarz getuschte Wimpern und himbeerfarbener Lipgloss. Beim Make-up hatte ihr Marie geholfen, weil sie sich sonst fast nie schminkte. Das i-Tüpfelchen war die orange getönte Sonnenbrille, die super zu ihren roten Haaren passte.

Wie gesagt, äußerlich war Franzi ganz cool. Innerlich war sie ein zerrüttetes Nervenbündel und fühlte sich ungefähr so, als müsste sie gleich vor tausend Zuschauern bei einem Casting vorsingen. Trotzdem versuchte sie sich nichts anmerken zu lassen und verabschiedete sich lässig von Marie und Kim. Die beiden würden ein paar Sekunden warten, bevor sie ihr folgten.

Franzi ging mit betont langsamen Schritten auf das große Café zu, in dem das Chattertreffen stattfinden sollte. Als sie die Tür aufmachte, quoll ihr dicke, abgestandene Luft entgegen und lautes Stimmengewirr übertönte die Lounge-Musik. Das Café war rappelvoll. Dicht gedrängt standen Jungen und Mädchen beieinander und redeten aufeinander ein. Franzi hängte ihre Jacke an die überquellende Garderobe und schnappte nach Luft. Wie sollte sie in diesem Gewühl bloß Anton finden? Doch dann riss sie sich zusammen und scannte ihre Umgebung. Die meisten waren ein paar Jahre

älter als sie und die Jungen eindeutig in der Überzahl. Das machte die Lage nicht gerade einfacher. Langsam schob sich Franzi durch die Menge und hielt nach einem Jungen mit einem hellblauen T-Shirt Ausschau.
Plötzlich klopfte ihr ein hochgeschossener Typ mit jeder Menge Pickeln im Gesicht auf die Schulter. »Hi, ich bin Groove, und wer bist du?«
Franzi zuckte zusammen. Groove war garantiert der Letzte, den sie hier treffen wollte. »Franzi«, antwortete sie kurz.
»Hi, Franzi! Dich kenn ich gar nicht vom Chatten. Wollen wir was trinken? Ich spendier dir einen Drink an der Bar.«
»Nein danke«, sagte Franzi.
Groove berührte sie am Arm. »Jetzt komm schon, entspann dich.«
Franzi zog ihren Arm zurück. »Hast du Tomaten auf den Ohren? Ich will nicht.«
»Blöde Kuh!«, zischte Groove und zog beleidigt ab.
Franzi atmete tief durch. Jetzt brauchte ihr nur noch Powerfrau über den Weg zu laufen, dann war ihr Glück perfekt.
Rasch schlängelte sie sich weiter durch die Menge. An der Bar stand eine Traube Mädchen um einen Jungen herum und kicherte ohne Ende. Franzi konnte den Jungen auf den ersten Blick nicht erkennen, weil die Mädchen ihm so auf die Pelle rückten. Das schien ja ein ziemlich attraktiver Typ zu sein. Neugierig ging Franzi näher ran und reckte den Kopf. Endlich konnte sie einen Blick erhaschen. Der Junge war blond. Er war nicht besonders groß und er bekam ein süßes Grübchen am Kinn, wenn er lachte. Er war bestimmt schon achtzehn und sah aus wie Brad Pitt. Und er trug ein

hellblaues T-Shirt, auf dem das Foto von Han Solo prangte.
Franzis Herz setzte kurz aus und schlug dann im doppelten Tempo weiter.
Vor ihr stand Anton!
Hatte er sie etwa schon gesehen? Franzi spürte, wie sie bis in die Haarwurzeln rot wurde. So konnte sie Anton auf keinen Fall unter die Augen treten. Schnell wich sie ein Stück zurück. Dabei trat sie jemandem auf die Zehen.
»Autsch!«, rief Kim, die sich mit Marie bereits in Position gebracht hatte.
»'tschuldige«, sagte Franzi und tat so, als würde sie weder Kim noch Marie kennen.
Dann sah sie wieder zu Anton hinüber. Er hatte sie zum Glück noch nicht entdeckt. Kein Wunder, er war völlig vertieft in das Gespräch mit den Mädchen und sonnte sich in ihrer Aufmerksamkeit. Was hatte Marie gesagt? Der Frauenversteher! Damit schien sie ausnahmsweise Recht zu haben.
Franzi lehnte sich gegen eine Säule neben der Bar. Von dort hatte sie einen guten Blick auf Anton, ohne ihm aufzufallen. Zuerst mal wollte sie eine Weile zuhören, bevor sie ihn ansprach.
Anton hatte anscheinend gerade wieder einen Witz losgelassen, denn die Mädchen bogen sich vor Lachen.
»Danke, danke«, sagte Anton, als sie endlich aufhörten zu kichern. »So gut war der auch nicht. Aber erzähl doch mal, Powerfrau, wie heißt du in Wirklichkeit?«
Franzi reckte neugierig den Hals. Jetzt war sie aber doch gespannt, wer hinter dieser Powerfrau steckte!

»Ich heiße Nadine«, sagte das Mädchen, das sich am weitesten zu Anton vorgedrängt hatte und ihm fast schon an der Wange klebte. Nadine sah nicht im Entferntesten aus wie eine Powerfrau. Sie hatte braune, strähnige Haare und dünne Lippen, die sie die ganze Zeit völlig verkrampft aufeinanderpresste. Da konnte auch ihr modisches Outfit nichts mehr retten.
Anton strahlte sie an. »Nadine, hübscher Name! Und was treibst du so in deiner Freizeit außer chatten und skaten?«
»Ich segle«, sagte Nadine und wurde rot.
»Echt?«, sagte Anton. »Das ist ja spannend. Erzähl mehr davon!«
Nadine presste wieder die Lippen aufeinander. Dann räusperte sie sich. »Natürlich segle ich nur im Sommer, wenn es schön warm ist. Meine Eltern haben ein großes Boot. Wir fahren fast jedes Wochenende raus an den See und laden immer jede Menge Freunde zum Segeln ein. Du kannst gern auch mal mitkommen.«
Antons Augen wurden größer. »Ja, klar, super!«
Da drängte sich ein anderes Mädchen vor. »Wir haben zwar kein Segelboot, aber ein Schwimmbad zu Hause.«
Sofort wandte sich Anton ihr zu. »Ein Schwimmbad? Wow! Lea, du musst mir unbedingt deine Adresse verraten, dann komm ich mal vorbei.«
»Gern«, sagte Lea und warf Nadine einen triumphierenden Seitenblick zu. »Später, ja? Wenn wir allein sind!«
Anton nickte begeistert.
Jetzt wurde es Franzi zu viel. Rücksichtslos boxte sie sich mit den Ellbogen zu Anton durch. »Hi, schön dich zu sehen!«

Anton starrte mit offenem Mund auf ihr T-Shirt. »Das Mädchen mit der ›14‹ auf dem Shirt! Franzi!«
»Hier ist es so schrecklich laut«, redete Franzi schnell weiter. »Komm mit, dahinten bei der Sitzecke ist noch was frei.«
»Gute Idee«, sagte Anton und nahm sein Glas in die Hand.
»Hey!«, rief Nadine empört. »Du kannst uns doch nicht einfach im Stich lassen!«
»Wir waren zuerst da!«, sagte Lea und musterte Franzi abschätzig von oben bis unten.
Anton setzte wieder sein unwiderstehliches Brad-Pitt-Lächeln auf. »Keine Panik, ich bin bald wieder da. Lauft nicht weg, ja?«
»Bestimmt nicht«, sagte Nadine mit verklärtem Blick.
Lea und die anderen Mädchen nickten nur stumm.
Franzi verkniff sich ein Grinsen. Dann lief sie schnell zur Sitzecke hinüber. Marie und Kim hatten gerade erfolgreich ein knutschendes Pärchen verdrängt. Franzi und Anton schnappten sich die Plätze.
»Ich dachte mir gleich, dass du toll aussiehst«, begann Anton das Gespräch.
Franzi biss sich auf die Lippe, um nicht rot zu werden. »Danke. Wie geht's dir so?«
»Immer besser«, sagte Anton und lächelte sie verführerisch an.
Franzi wich seinen blauen Augen aus. »Toll.« Dann sah sie sich um. »Ganz schön was los hier, was?« Dabei stellte sie unauffällig fest, dass Kim und Marie sich in der Nähe auf den Boden gesetzt hatten.
»Kann man wohl sagen«, meinte Anton. »Aber davon lassen wir uns nicht stören! Erzähl doch mehr von deinem Pony.

Tinka heißt es, oder? Hat es einen eigenen Stall bei euch und eine richtige Weide?«

Langsam wurde Franzi Antons Strategie klar. Er checkte anscheinend alle Mädchen im Chatroom und auf dem Treffen hier danach ab, ob sie aus reichen Elternhäusern kamen. Klar, es musste sich ja für ihn und seine Komplizen lohnen einzubrechen!

Franzi beschloss ordentlich zu übertreiben, obwohl ihr Zuhause im Vergleich zu Maries Wohnung ziemlich bescheiden war.

»Natürlich hat Tinka einen eigenen Stall«, sagte sie. »Er ist so riesig, da hätten noch drei andere Pferde Platz. Und die Weide ist auch großzügig. Ponys brauchen viel Auslauf, sagt mein Vater immer. Der ist Tierarzt und hat eine eigene Praxis.«

Anton hing an ihren Lippen. »Scheint ein toller Mann zu sein, dein Vater. Wie heißt er, falls ich mal einen Tierarzt brauchen sollte?«

»Dr. Winkler«, antwortete Franzi. »Stimmt, er ist toll. Meine Mutter ist aber auch voll okay. Sie ist die geborene Managerin, leitet ein fünfköpfiges Unternehmen.« Dass es sich bei dem ›fünfköpfigen Unternehmen‹ um ihre Familie handelte, band sie Anton natürlich nicht auf die Nase.

»Bewundernswert«, sagte Anton. »Ich mag emanzipierte Frauen – und Mädchen!« Dabei strahlte er sie wieder an. »Dann haben deine Eltern ja ziemlich viel Stress. Haben sie trotzdem noch Zeit, zusammen etwas zu unternehmen?«

»Doch, schon«, sagte Franzi. »Sie gehen wahnsinnig gern ins Kino, am liebsten in Nachmittagsvorstellungen.«

Antons Mundwinkel zuckten verräterisch. Doch eine Sekunde später hatte er sich bereits wieder unter Kontrolle. »Und deine Schwester?«, fragte er schnell weiter. »Was macht die so?«
Franzi lachte. »Die hängt jede freie Minute mit ihrem Freund ab. Stefan ist übrigens auch selten daheim seit neuestem. Er hat wieder eine Freundin. Beide nerven mich echt oft und meine Eltern auch. Aber es ist komisch: Wenn alle gleichzeitig ausfliegen und das ganze Haus plötzlich leer ist, bin ich manchmal schon ein bisschen einsam.« Die letzten Sätze hatte sie extra vorher vorbereitet, um sie so natürlich wie möglich rüberzubringen.
»Du Arme!«, sagte Anton und sah Franzi tief in die Augen.
Franzi knetete ihre Hände. Konnte er das Flirten wenigstens mal für ein paar Minuten abstellen?
Anton schien nicht daran zu denken, im Gegenteil. Er beugte sich auch noch zu ihr vor. »Darf ich dir eine Frage noch mal stellen?«
»Klar«, sagte Franzi.
»Jetzt, wo wir uns kennen und du gesehen hast, dass ich ein total harmloser Typ bin, kannst du mir doch auch deine Telefonnummer geben, oder?«
Von wegen völlig harmloser Typ, dachte Franzi.
»Ich weiß nicht«, meinte sie.
Anton setzte seinen ganzen Charme ein. »Bitte! Ich verspreche dir auch, dass ich dich nicht Tag und Nacht anrufe. Aber ich würde einfach gern ab und zu mit dir quatschen.«
»Okay«, sagte Franzi. »Ich geb dir meine Handynummer.«
Anton verzog das Gesicht. »Ich hasse Telefonieren auf dem

Handy. Da klingt die Stimme immer so verzerrt und alle hören mit, in der U-Bahn oder im Café.«
»Na gut«, sagte Franzi. »Dann geb ich dir die Telefonnummer von zu Hause.«
»Danke!«, sagte Anton und streckte seine Hand aus.
Franzi runzelte die Stirn. »Ja?«
»Schreib sie mir in die Hand!«, sagte Anton. »Hier ist ein Kuli.«
Franzi starrte auf Antons Hand. Sie war wunderschön, mit zarten, schlanken Fingern. Schnell nahm sie den Kugelschreiber entgegen und kritzelte die Nummer auf seinen Handteller. Mist, ihre Finger zitterten!
Als sie fertig war, lehnte sich Anton zurück und betrachtete zufrieden die krakeligen Zahlen. Dann sah er auf seine Armbanduhr. »Was, schon so spät? Ich muss leider los.«
»Zur Reitstunde?«, fragte Franzi lauernd.
Anton stutzte. »Ja, genau. Stimmt, ich hab dir ja davon erzählt. Also dann, es war superschön mit dir. Wir müssen uns unbedingt mal alleine im Café treffen. Tut mir total leid, dass ich jetzt so überstürzt aufbreche, aber … Ich ruf dich an. Bis bald!«
Und schon war er verschwunden. Verblüfft sah Franzi ihm hinterher.
»Das war ja ein schneller Abgang«, sagte Marie, die mit Kim näher kam.
»Allerdings«, meinte Kim. »Aber er hat ja auch alles erfahren, was er erfahren wollte. Fürs Erste zumindest. Deine Adresse wird er dir auch noch rauslocken.«
Franzi schlug sich gegen die Stirn. »Das braucht er gar nicht!

Er weiß ja jetzt, wie mein Vater heißt. Und unsere Telefonnummer hat er auch. Er braucht nur noch bei der Internet-Telefonauskunft nachzusehen oder in den Gelben Seiten nachzuschlagen. Da steht mein Vater dick und fett mit einer Anzeige drin.«
Marie pfiff durch die Zähne. »Ganz schön clever, der Typ!«
»Aber wir sind auch clever«, sagte Kim und klopfte auf ihre Umhängetasche.
»Habt ihr alles mitgeschnitten?«, fragte Franzi neugierig.
»Klar«, sagte Kim.
»Und ich hab ein Foto von unserem Flirtbolzen geschossen«, sagte Marie.
Franzi boxte ihr in die Rippen. »Hör endlich auf!«
»Kommt!«, sagte Kim. »Lasst uns gleich zu Sofie fahren. Ich will, dass sie uns noch mal bestätigt, dass ihr Boba Fett Anton ist.«
In dem Moment steuerte Groove wieder zielstrebig auf Franzi zu. Er hatte zwei Cocktailgläser in der Hand und grinste sie an. Schnell sprang Franzi auf und flüchtete zusammen mit ihren Freundinnen aus dem Café.

Sofie war zum Glück zu Hause. Die drei !!! gingen in ihr Zimmer und streckten ihr die Digitalkamera entgegen.
Sofie warf nur einen kurzen Blick auf das Bild im Display und stieß dann einen tiefen Seufzer aus. »Ja, das ist er!«
Das Band mit dem Gespräch wollte sie sich gar nicht ganz anhören, obwohl die Qualität trotz Hintergrundgeräuschen erstaunlich gut war. Schon nach den ersten paar Sätzen von Anton griff sie zum Taschentuch.

Marie stoppte das Band. »Ist es immer noch so schlimm?«
Sofie nickte. »Ich kann nichts dagegen tun. Ich muss dauernd an ihn denken. Andererseits schäme ich mich so. Schließlich bin ich daran schuld, dass er hier bei uns eingebrochen hat. Wenn das meine Eltern wüssten …«
Kim legte tröstend den Arm um sie. »Es stimmt, du hast einen Fehler gemacht und wirst ihn garantiert nie wieder machen, aber du konntest doch nicht ahnen, dass dieser Anton gleich seine Komplizen zum Einbrechen rüberschicken würde.«
»Bitte sag auch deinen Eltern erst mal nichts«, bat Marie. »Wir sind fast am Ende unserer Ermittlungen. Franzi ist unser Lockvogel und bald werden wir die Bande auf frischer Tat ertappen.«
Sofie sah die drei !!! bewundernd an. »Ihr seid aber mutig! So etwas würde ich mich nie trauen.«
Franzi winkte ab. »Das Ganze ist halb so wild. Wir werden natürlich die Polizei mit einschalten.«
»Trotzdem«, sagte Sofie.
Kim stand auf. »Danke dir noch mal für alles!«
»Ich hab eh nicht viel gemacht«, sagte Sofie.
»Doch«, sagte Franzi. »Ohne dich würden wir immer noch im Dunkeln tappen!«

Franzi rotiert

Als am nächsten Nachmittag das Telefon im Flur klingelte, fuhr Franzi hoch und wusste sofort: Das ist Anton!
Sie stürmte hinaus und kam gerade noch rechtzeitig, um Chrissie den Hörer aus der Hand zu schnappen und damit in ihr Zimmer zu verschwinden. »Hallo, hier Franzi Winkler?«
»Rate mal, wer dran ist?«, sagte eine sanfte Stimme.
Franzis Herz klopfte schneller. »Anton?«
»Erraten!«, sagte er. »Eine Frage: Bist du in den nächsten Tagen zufällig mal wieder einsam?«
»Wieso?«, fragte Franzi und stellte sich dumm. »Was meinst du damit?«
Anton lachte. »Na ja, sind bei dir zu Hause mal wieder alle weg und du musst einsam in deinem Zimmer sitzen?«
»Ach so«, sagte Franzi. »Hm, ja, übermorgen sind alle weg. Ich hab mir schon ein paar DVDs rausgelegt, um mich über Wasser zu halten.«
»Vergiss die DVDs«, sagte Anton. »Triff dich lieber mit mir.«
Franzi schwieg.
»Findest du die Vorstellung so schrecklich?«, fragte Anton.
Franzi tat überrascht. »Nein, nein, es kommt nur so … so plötzlich.«
Anton lachte wieder. »Gute Ideen kommen immer plötzlich.«
»Okay«, sagte Franzi. »Kennst du das *Café Lomo*?«
»Klar.«
»Treffen wir uns übermorgen dort?«, fragte Franzi. »Um vier Uhr?«

»Ich zähle die Sekunden«, sagte Anton. »Bis ganz bald, Apple!«
»Bis bald, Han Solo«, sagte Franzi und legte auf. Dann machte sie einen Luftsprung und juchzte: »Ja, ja, ja!«
Das klappte ja alles wie am Schnürchen. Ihre Eltern würden übermorgen Nachmittag ins Kino gehen. Chrissie hatte schon vor einer Woche verkündet, dass sie an diesem Tag mit Bernd Schlittschuh laufen wollte, und Stefan hatte seine BWL-AG. Perfekt! Dann konnten die drei !!! in aller Ruhe ihre Falle für Antons Komplizen präparieren und zuschlagen. Wie sie vorgehen wollten, hatten sie gerade bei einem Clubtreffen genau besprochen.
Franzi simste schnell Marie und Kim die tolle Nachricht.
Als sie den Hörer zurück zur Station brachte, hörte sie, wie ihre Eltern miteinander stritten. Das kam so gut wie nie vor. Erschrocken lehnte sich Franzi an das Geländer der Treppe und lauschte.
»Was heißt das, dir ist etwas dazwischengekommen?«, fragte Dr. Winkler.
»Ich kann doch nichts dafür«, sagte seine Frau. »Meine Schwester ist zufällig an dem Tag in der Stadt und will mit mir Weihnachtseinkäufe machen.«
Franzis Vater schnaufte. »Zufällig! Dass ich nicht lache. Wir haben aber unser Kino vorher ausgemacht. Du kannst das nicht einfach über den Haufen werfen.«
Franzi zuckte zusammen. Kino? Ihre Eltern wollten doch nicht etwa das Kino sausenlassen? Das hieße ja, dass ihr Vater zu Hause sein würde!
»Bitte«, sagte Frau Winkler. »Mach es mir nicht noch schwe-

rer. Du kennst doch meine Schwester. Wenn ich nicht mit ihr in die Stadt gehe, ist sie wieder tagelang beleidigt.«
»Wer ist dir eigentlich wichtiger?«, brauste Dr. Winkler auf. »Deine Schwester oder ich?«
Seine Frau schmiegte sich an ihn. »Du natürlich. Aber können wir das Kino nicht um einen oder zwei Tage verschieben?«
Dr. Winkler schüttelte den Kopf. »Nein, an den anderen Tagen haben sich schon total viele Kunden für die Praxis angemeldet.«
»Schade«, sagte Frau Winkler. »Es tut mir wirklich leid, Schatz. Kannst du mir noch mal verzeihen?«
Ihr Mann lenkte ein. »Muss ich ja wohl. Nein, ist schon okay. Der Film läuft uns schließlich nicht davon.«
Die beiden gingen versöhnt in die Küche und lachten bereits wieder. Franzi war das Lachen vergangen. Das durfte doch nicht wahr sein! Sonst musste schon ein Meteorit einschlagen, damit ihre Eltern ihren geheiligten Kinotag sausenließen. Warum musste ausgerechnet jetzt etwas dazwischenkommen?
Franzi überlegte fieberhaft. Sie konnte Anton nicht wieder absagen, sonst würde er vielleicht misstrauisch werden. Was sollte sie jetzt bloß tun? Verhindern, dass ihre Tante in die Stadt kam? Das konnte sie gleich vergessen. Wenn sich Tante Charlotte erst mal etwas in den Kopf gesetzt hatte, zog sie es auch durch. Ihren Eltern die Wahrheit sagen? Nie im Leben! Dann würden sie sich bloß schrecklich aufregen und alle Hebel in Bewegung setzen, damit die drei !!! sich nicht in Gefahr begaben.

»Träumst du schon im Stehen?«, riss Chrissie sie aus ihren Gedanken.
Franzi schüttelte den Kopf. »Ich hab nur nachgedacht, das soll ab und zu vorkommen.«
Chrissie verzog spöttisch die Mundwinkel. »Echt? Ach übrigens, übermorgen Nachmittag kommt eine Freundin zu mir. Da brauchen wir das Wohnzimmer für uns.«
»Wie?«, fragte Franzi, die glaubte sich verhört zu haben. »Übermorgen gehst du doch mit Bernd Schlittschuh laufen.«
»Der Plan ist gestorben«, sagte Chrissie. »Bernd liegt mit Grippe im Bett und ich werde mich garantiert nicht bei ihm anstecken.«
Franzi schluckte. Oh nein, Chrissie würde übermorgen auch zu Hause sein! Hatte sich etwa die ganze Familie gegen sie verschworen?
»Erde an Franzi!«, rief Chrissie. »Hast du mir zugehört?«
»Ja, klar«, sagte Franzi, um Zeit zu gewinnen. »Du brauchst das Wohnzimmer, kein Problem.«
Chrissie sah sie verblüfft an. Bestimmt hatte sie mit einem lautstarken Protest gerechnet, aber das hätte Franzi im Augenblick wenig genutzt. Sie musste dafür sorgen, dass Chrissie übermorgen aus dem Haus ging.
Stöhnend ging Franzi mit dem Mobilteil zurück in ihr Zimmer. Zwei Problemfälle auf einmal: Das war eindeutig zu viel.
Schnell wählte sie Maries Nummer und erzählte, was gerade passiert war. »Ich brauch deine Hilfe!«
»Na toll«, sagte Marie. »Und ich dachte, du hättest alles im Griff.«

»Was soll das?«, fragte Franzi. »Ich kann doch nichts dafür, dass meine Eltern und Chrissie plötzlich ihre Pläne über den Haufen werfen. Hilfst du mir jetzt oder nicht?«
»Doch, klar«, sagte Marie. »Lass mich nachdenken. Fangen wir zuerst mit deinen Eltern an, die sind der einfachere Fall. Wie könnten wir sie ins Kino bringen? Ha, ich hab's!«
Franzi lauschte aufgeregt. »Wie denn?«
»Mein Vater hat doch immer Freikarten für Kinopremieren«, sagte Marie. »Da kommen die Schauspieler und der Regisseur und verbeugen sich am Schluss. Ich könnte versuchen für deine Eltern Karten zum neuen Film mit Bill Murray zu organisieren.«
»Bill Murray?«, rief Franzi. »Auf den steht meine Mutter total. Das wär genial, für ihn lässt sie garantiert ihre Schwester im Stich.«
»Freu dich nicht zu früh«, sagte Marie. »Hoffentlich hat mein Vater noch Karten. Er ist leider ziemlich freigebig und verschenkt sie gern.«
Franzi zügelte ihre Begeisterung. »Verstehe. Frag ihn bitte sofort!«
»Das geht nicht«, sagte Marie. »Ich weiß nicht genau, wann er vom Set zurückkommt. Ich simse dir dann gleich.«
»Danke«, sagte Franzi. »Und jetzt zum härteren Fall: Was machen wir mit Chrissie? Am liebsten würde ich sie einfach aus dem Haus jagen.«
Marie lachte. »Keine gute Idee. Dann kratzt sie dir mit ihren langen Fingernägeln die Augen aus. Nein, wir müssen sie bestechen, damit sie freiwillig abzieht. Jeder Mensch ist bestechlich. Wofür hat sie eine Schwäche?«

Franzi dachte nach. Chrissies größte Schwäche war Bernd, aber der war ja außer Gefecht gesetzt. Eine große Party oder Modenschau wäre auch nicht schlecht … Doch wie sollte sie die organisieren?
Plötzlich schlug sie sich mit der Hand gegen die Stirn. »Dass ich da nicht gleich draufgekommen bin! Chrissie steht seit neuestem auf Pferde, allerdings nur als Modeschmuck. Sie ist total scharf auf meinen Gürtel mit den silbernen Hufeisen. Ich könnte ihn ihr noch mal leihen.«
»Ich glaub nicht, dass das reicht«, meinte Marie. »Ich fürchte, du musst ein größeres Opfer bringen. Wärst du bereit ihr den Gürtel zu schenken?«
»Kommt nicht in Frage!«, protestierte Franzi. »Das ist mein Lieblingsgürtel.«
Marie drängte: »Spring über deinen Schatten! Von unserer nächsten Belohnung kannst du dir einen neuen kaufen.«
Franzi zögerte, weil sie nicht so recht daran glaubte, doch schließlich gab sie nach. »Okay, ich mach's.«
»Prima«, sagte Marie. »Dann hätten wir die Problemfälle ja schon fast gelöst.«
Franzi war sich da nicht so sicher. Chrissie konnte manchmal so dermaßen zickig sein, dass man nie wusste, ob man gegen sie ankam. Aber es blieb ihr nichts anderes übrig: Sie musste es versuchen.
»Also dann«, sagte Franzi. »Ich melde mich bei dir, wenn es was Neues gibt.«
»Gut«, sagte Marie.
Franzi legte auf und seufzte. Dann beschloss sie die unangenehme Aufgabe am besten gleich hinter sich zu bringen. Sie

holte ihren Gürtel aus dem Schrank und warf einen letzten, wehmütigen Blick darauf. Dann gab sie sich einen Ruck und ging zu Chrissie hinüber.
Ihre Schwester saß vor dem Spiegel und probierte gerade eine neue Frisur aus.
»Was willst du?«, fragte sie unfreundlich. »Du störst!«
Franzi schwenkte den Gürtel. »Ich wollte dir was schenken, aber wenn du es nicht willst, kann ich gern wieder gehen.«
Chrissie drehte sich zu ihr herum und starrte auf den Gürtel. »Du willst mir deinen Gürtel schenken? Natürlich nehme ich den.« Und schon wollte sie danach greifen.
In letzter Sekunde zog Franzi den Gürtel zurück. »Ich schenke ihn dir, aber nur unter einer Bedingung.«
Chrissie verdrehte die Augen. »Ich wusste doch, dass ein Haken dabei ist.«
»Nur ein kleiner.« Franzi lächelte. »Du musst mir versprechen, dass du übermorgen Nachmittag nicht zu Hause bist.«
»Wie bitte?«, fragte Chrissie.
»Das ist alles«, sagte Franzi. »Du lässt dich übermorgen hier nicht blicken und ich schenke dir dafür meinen Gürtel.«
Chrissie sah sie prüfend an. »Du hast doch irgendwas vor, das sehe ich dir an der Nasenspitze an. Gib's zu: Du bist verliebt und willst dich ungestört mit deinem Freund treffen! Oh, oh, wenn Mama das erfährt, flippt sie aus. Du allein mit einem fremden Jungen, was da alles Schlimmes passieren kann …«
Franzi spürte, wie ihr die Röte ins Gesicht schoss. »Quatsch! Deine Fantasie geht mal wieder mit dir durch. Ich will einfach nur meine Ruhe haben.«

»Erzähl mir keine Märchen«, sagte Chrissie. »Wenn es kein Date ist, muss es was mit deinem Detektivclub zu tun haben. Stimmt's oder hab ich Recht?«
Franzi hatte sich wieder unter Kontrolle und schüttelte energisch den Kopf. »Von mir erfährst du nichts. So läuft unser Deal nicht. Entweder du machst mit und stellst keine Fragen oder du kannst dir den Gürtel abschminken.«
Chrissie verschlang den Gürtel mit den Augen. Dann zuckte sie mit den Schultern. »Okay! Ist mir doch egal, was du vorhast. Dann gehe ich also mit meiner Freundin in die Stadt. Wir wollten sowieso mal wieder shoppen.«
Franzi strahlte. Sie hatte es tatsächlich geschafft!
»Es ist deiner«, sagte sie und warf Chrissie den Gürtel zu.
»Danke, Schwesterherz!«, sagte Chrissie.
Franzi drehte sich um, weil sie nicht mit ansehen wollte, wie Chrissie den Gürtel in die Schlaufen ihrer Jeans einfädelte und damit vor dem Spiegel posierte.
Als sie zurück in ihr Zimmer kam, klingelte ihr Handy. Aufgeregt stürzte sie sich darauf. Es war eine SMS von Marie.

Hi, Franzi!
Schwein gehabt! Mein Vater hatte gerade noch zwei Karten für die Premiere. Du kannst also deine Eltern damit überraschen. Der Film läuft im Metropol-Theater und geht um vier Uhr los. Bill Murray wird auch da sein!!
LG, Marie

Sofort simste Franzi zurück.

Super! Tausend Dank. Werde gleich die tolle Nachricht überbringen. Chrissie hat übrigens angebissen. Sie hat sich den Gürtel geschnappt und lässt uns freie Bahn. Ich halte dich auf dem Laufenden.
Ciao, Franzi

Sie legte das Handy weg und rannte runter in die Küche. Dort saßen ihre Eltern am Tisch und tranken Tee. Vom Streit vorhin war nichts mehr zu spüren, im Gegenteil: Sie kuschelten sich eng aneinander auf der Eckbank und sahen fast so verliebt aus wie Stefan mit seiner Sonja.
»Willst du auch einen Schluck Tee?«, fragte Frau Winkler.
»Nein danke«, sagte Franzi. »Ich muss euch was erzählen. Das glaubt ihr mir nicht.«
Dr. Winkler lächelte. »Was ist es denn?«
Franzi holte tief Luft. »Also … Es ist zwar noch nicht Weihnachten und ich weiß, dass man Geschenke nicht vorher machen soll, aber in dem Fall geht es nicht anders. Ich habe nämlich ein Geschenk für euch, das ihr schon übermorgen einlösen müsst.«
»Das klingt ja spannend«, sagte Frau Winkler.
»Ist es auch«, sagte Franzi. »Ich habe Kinokarten für euch. Genauer gesagt Premierenkarten. Marie hat sie von ihrem Vater bekommen und mir geschenkt. Und ich schenke sie euch. Haltet euch fest: Es ist der neue Film mit Bill Murray und er wird zur Premiere kommen. Ihr könnt ihn live sehen.«
Ihre Mutter sprang auf und kreischte, als wäre sie nicht vierzig, sondern erst vierzehn. »Bill Murray??«

»Ja genau«, sagte Franzi.
»Bill Murray?«, wiederholte ihre Mutter. »Er kommt wirklich zur Premiere? Wann ist die? Und wo?«
Franzi nannte Datum, Uhrzeit und Ort.
»Perfekt«, sagte Frau Winkler. »Da gehen wir hin. Franzi, du bist ein Schatz!« Sie drückte sie so fest an ihre Brust, dass Franzi kaum Luft bekam.
Keuchend gelang es ihr endlich, sich zu befreien. »Gern geschehen.«
Da räusperte sich ihr Vater und sah seine Frau fragend an. »Aber ich dachte, du hast übermorgen keine Zeit, du triffst dich doch mit deiner Schwester in der Stadt.«
»Ach«, sagte Frau Winkler. »Meine Schwester kann warten, Bill Murray nicht.«
Dr. Winkler brach in schallendes Lachen aus. »Bill Murray macht's möglich, dass wir ins Kino gehen. Wer hätte das gedacht. Aber ich warne dich: Du flirtest nur mit mir, nicht mit ihm!«
Seine Frau legte den Arm um ihn. »Mal sehen, wie es sich so ergibt!«
Da musste Franzi auch lachen. Ein Riesenstein fiel von ihrem Herzen. Endlich lief alles nach Plan. Jetzt konnten sie sich voll auf die Überführung der Täter konzentrieren. Stolz reckte Franzi die Brust heraus: Bahn frei für die drei !!!.

Hände hoch!

Detektivtagebuch von Kim Jülich
Montag, 17:11 Uhr
Ich bin so aufgeregt! Morgen geht es um alles oder nichts. Wenn unser Verdacht richtig ist, werden Antons Komplizen morgen versuchen zu Hause bei Franzi einzubrechen, und wir, die drei !!!, werden ihnen eine Falle stellen. Mir wird jetzt schon ganz schlecht, wenn ich nur daran denke. Nach der Schule waren wir heute bei Kommissar Peters und haben ihn über den Stand unserer Ermittlungen informiert. Er hat erst mal kräftig mit uns geschimpft, wie wir überhaupt auf die Idee kommen konnten, uns in solche Gefahr zu begeben. Schließlich hat er sich wieder etwas beruhigt und uns sogar für unseren Spürsinn gelobt. Aber er hat uns verboten bei der Festnahme dabei zu sein. Franzi darf den Lockvogel spielen und er wird einen Beamten in Zivil im Café postieren, damit sie geschützt ist. Das war vielleicht ein Theater, als er Franzis Eltern telefonisch informiert hat. Die wollten die ganze Aktion erst verbieten, haben sich dann aber von Kommissar Peters überzeugen lassen, dass die Polizei Franzi gut beschützen wird. Marie und ich wollen natürlich trotzdem bei der Auflösung des Falles dabei sein. Wir werden uns schon vor der Polizei zu Hause bei Franzi verstecken. Als Verstärkung nehmen wir Michi mit. Trotzdem beruhigt mich das überhaupt nicht. Wenn die Einbrecher nun bewaffnet sind, was machen wir dann?
Franzi hat es gut. Sie wird bei der Operation nicht dabei sein. Sie muss sich ja mit Anton im Café Lomo *treffen und ihn so*

lange wie möglich aufhalten, damit er seinen Komplizen nicht zu Hilfe kommen kann. Am liebsten würde ich mit ihr tauschen, gemütlich im Café sitzen und warten. Aber das geht natürlich nicht. Marie und Franzi gegenüber würde ich auch nie zugeben, dass ich Angst habe. Wann hört das endlich auf? Immer habe ich diese verdammte Angst, obwohl ich mich doch nach mehreren Fällen eigentlich schon daran gewöhnt haben könnte, dass gefährliche Situationen einfach dazugehören zur Detektivarbeit. Von wegen! Es wird eher immer schlimmer. Haben Profidetektive auch Angst, genauso wie Schauspieler Lampenfieber haben?
Morgen um diese Zeit ist alles vorbei. Dann sitzen Anton und seine Bande hoffentlich hinter Schloss und Riegel!

Geheimes Tagebuch von Kim Jülich
Montag, 17:26 Uhr
Heute hat Michi endlich angerufen. Mir wäre fast das Herz stehengeblieben. Er hat von seinem neuen Aushilfsjob in der Bäckerei erzählt und gequatscht und gequatscht. Die ganze Zeit habe ich darauf gewartet, dass er meinen Brief erwähnt und sich bedankt. Hat er aber nicht! Nach fünf Minuten hab ich es nicht länger ausgehalten und ihn selber darauf angesprochen. Da hat er kurz gestutzt und gemeint: »Ach so, dein Brief. Ja, den hab ich bekommen. Danke, war echt nett.« Und dann hat er sofort wieder das Thema gewechselt und über seinen Job weitergeredet. Ich saß da mit dem Hörer am Ohr und hab gedacht, was läuft denn jetzt ab? Hat er sich gar nicht gefreut über meinen Brief? Doch, anscheinend schon. Aber er hat offenbar überhaupt nicht mitbekommen, dass es ein Liebesbrief war.

Michi, wie soll ich es dir denn noch sagen, damit du es verstehst? Ich bin in dich verliebt!!!
Das kann nur eins bedeuten: Michi ist nicht in mich verliebt. Sonst hätte er meine Worte sicher anders interpretiert. Es ist so schrecklich. Alles war umsonst, der Brief und meine Gefühle. Es hat keinen Sinn, ich muss mich entlieben.
Nein, das kann ich nicht. Ich kann meine Gefühle nicht einfach per Knopfdruck abstellen wie eine Digitalkamera.
Michi! Ich werde dich nicht vergessen und immer lieben. Morgen sehe ich dich wieder. Du hilfst uns, wenn wir die Einbrecher fassen. Wie gut, dass du dabei bist! Dann habe ich vielleicht weniger Angst, weil ich weiß, dass du mich beschützt. Andererseits werde ich ganz sicher sterben vor lauter Herzklopfen!

Franzi saß in der Sofaecke im *Café Lomo* und sah auf ihre Armbanduhr. Fünf vor vier. Der Countdown lief. Jetzt gab es kein Zurück mehr. Sie hatte das Aufnahmegerät angeschaltet, falls Anton sich zufällig im Gespräch selbst belasten sollte. Es war gut versteckt in ihrer Tasche, die sie auf dem Boden abgestellt hatte. Der Beamte, der zu ihrem Schutz im Café war, fiel übrigens überhaupt nicht auf, so jung, wie der aussah.
Nervös warf sie noch mal einen Blick in den großen Spiegel neben dem Sofa. Das silberne Glitzertop, das sie sich von Chrissie geliehen hatte, sah ganz gut aus. Aber was war das? Sie hatte hektische rote Flecken auf dem Gesicht! Ob das von Maries neuem, extrastark mattierendem Make-up kam oder von der Aufregung? Wahrscheinlich von beidem.
Tausendmal lieber wäre sie jetzt zu Hause gewesen, um An-

tons Komplizen am Tatort gebührend in Empfang zu nehmen. Marie und Kim durften den tollsten Teil des Falls übernehmen und Ruhm einheimsen und sie saß hier doof rum. Das war wirklich ungerecht!
Da ging die Tür auf. Sofort war Franzi in höchster Alarmbereitschaft. Und da kam er auch schon auf sie zu: Anton. Betont lässig hob er eine Hand und grinste ihr zu. Auf einmal fand sie ihn gar nicht mehr so süß. Das Lächeln war einstudiert und eiskalt kalkuliert. Und mit genau denselben Begrüßungsworten hatte er vermutlich auch damals versucht Sofie einzuwickeln.
Abrupt blieb er zwei Meter vor ihr stehen und rief theatralisch: »Hi, Apple! Du siehst … umwerfend aus.«
Franzi lächelte geschmeichelt, während sie dachte: Du falscher Hund!
»Wartest du schon lange?«, fragte Anton und ließ sich in den gegenüberliegenden Sessel fallen.
Franzi schüttelte den Kopf. »Höchstens fünf Minuten.«
»Sorry«, sagte Anton. »Dafür lade ich dich ein. Was möchtest du trinken?«
Franzi entschied sich für eine Cola, um sich so wach wie möglich zu halten.
Anton bestellte zwei Cola. Er gab ihr das Glas und sah ihr tief in die Augen. »Auf uns!«
Franzi verschluckte sich und musste fürchterlich husten.
Anton klopfte ihr besorgt auf den Rücken. »Geht's wieder?«
»Ja, danke«, sagte Franzi.
»Schön endlich allein zu sein«, sagte er. »Ohne all die Leute vom Chattertreffen um uns herum.«

Franzi nickte. »Ja, stimmt. Ich hab mir auch extra viel Zeit genommen. Bis sechs Uhr kann ich locker bleiben.«
»Ich leider nicht«, sagte Anton. »Aber eine Stunde hab ich schon Zeit.«
Franzi machte ein enttäuschtes Gesicht. »Bleib doch noch länger! Egal was du vorhast, es kann nicht so wichtig sein wie unser Treffen.«
Anton war durch ihre Aktion überrumpelt. »Äh … du hast völlig Recht.«
»Was hast du denn vor?«, bohrte Franzi nach.
»Ach, so ein doofes geschäftliches Meeting«, sagte Anton. »Ich wollte es verschieben, aber es ging leider nicht.«
Franzi beugte sich interessiert vor. »Was machst du denn eigentlich beruflich?«
»Nichts Spannendes«, antwortete Anton. »Ich bin im Ankauf und Verkauf einer kleinen Firma beschäftigt.«
Franzi musste sich auf die Lippe beißen, um nicht zu grinsen. So konnte man Einbruch natürlich auch definieren.
»Reden wir lieber von dir«, sagte Anton. »Mein Leben ist wirklich nicht so aufregend.«
»Doch, bestimmt«, sagte Franzi schnell. »Du weißt jetzt so viel über mich, aber ich weiß noch fast gar nichts von dir. Wie heißt denn die Firma, bei der du arbeitest? Vielleicht kenne ich sie ja.«
Anton winkte ab. »Nein, sicher nicht.«
»Sag schon, wie heißt sie?«
Langsam wurde Anton nervös. »Sie heißt … *Top sell*«, behauptete er. Den Namen hatte er sich garantiert gerade eben ausgedacht.

»Und wie ist es da so?«, fragte Franzi weiter. »Sind die Kollegen nett? Wie sehen sie aus? Sind die auch so attraktiv wie du?«
Anton sah sie irritiert an. »Das willst du nicht wirklich wissen.«
»Natürlich will ich das wissen«, sagte Franzi. »Wir könnten uns doch mal zusammen mit deinen Kollegen treffen, ins Kino gehen oder ins Café.«
»Bitte nicht!«, sagte Anton. »Ich trenne Berufliches und Privates ganz bewusst. Du würdest dich bloß langweilen mit denen. Und ich kann dich beruhigen: Sie sehen nicht gut aus! Und außerdem möchte ich nicht mit ihnen und dir weggehen, sondern mit dir allein zusammen sein. Kannst du das nicht verstehen?«
»Doch, klar«, sagte Franzi und nippte an ihrer Cola. Von wegen, seine Kollegen sahen nicht gut aus! Einer zumindest war laut Aussage der Verkäuferin aus dem Antiquitätenladen sehr wohl attraktiv.
Anton sah unauffällig auf die Uhr an der Wand. Franzi registrierte es. Seit er gekommen war, waren erst zehn Minuten vergangen! Wie sollte sie Anton bloß länger hinhalten? Sie musste unbedingt verhindern, dass er frühzeitig abhaute. Da fiel ihr Blick auf den Kickerautomaten in der Ecke.
»Hast du Lust auf ein Spiel?«, fragte sie.
Anton zuckte mit den Schultern. »Okay, warum nicht?«
Sofort sprang Franzi auf. »Toll. Ich liebe kickern.« Das war nicht mal gelogen. Mit Kim und Marie hatte sie hier auch schon ab und zu gespielt.
Sie gingen rüber zum Kickerautomaten. Franzi grinste zu-

frieden. Sie würde schon dafür sorgen, dass Anton über das Spiel seine Komplizen für eine Weile vergaß.

Während Franzi und Anton kickerten, lagen Marie und Kim in ihrem Versteck auf der Lauer. Sie kauerten zu Hause bei Franzi im Besenschrank in der Küche. Michi hatte nicht mehr mit hineingepasst. Er war jetzt in Franzis Zimmer und lauschte an der angelehnten Tür. Kurz nach ihnen waren die Polizisten gekommen. Sie hatten gehört, wie Kommissar Peters die Einsatzbefehle gegeben hatte. Jetzt standen er und Polizeimeister Conrad im Flur, verborgen im großen Einbauschrank. Zwei weitere Beamten hatten sich im Wohnzimmer postiert, drei Polizisten in der Tierarztpraxis und zwei Beamte im alten Pferdeschuppen, ihrem Detektiv-Hauptquartier.
Die Lichter waren überall gelöscht und draußen brach langsam die Dämmerung über die winterliche Landschaft herein. Auf einmal war es so still, dass Marie und Kim alle Geräusche im Haus doppelt laut vorkamen. Die Dielen knarzten, in den alten Rohrleitungen gluckerte es und irgendwo quietschte eine Tür in den Angeln. In der Küche tropfte der Wasserhahn. Die Zeiger der Kuckucksuhr an der Wand tickten metallisch und rückten gelassen immer weiter vor. Schon war es zwölf Minuten nach vier.
Marie spürte, dass ihre Hände feucht wurden. Wann kamen die Einbrecher denn endlich? Hatten sie es sich etwa doch noch im letzten Moment anders überlegt?
Kim rückte näher an sie heran. Marie konnte ihr Herz schlagen hören. Es ging ganz schön schnell. Marie suchte nach

der Hand ihrer Freundin und drückte sie. Kim drehte den Kopf herum und atmete tief durch. Dann tastete sie nach der Fernbedienung, die sie sich in die Jackentasche gesteckt hatte. Sie war da. Jetzt musste sie nur noch im richtigen Augenblick den richtigen Knopf drücken.

Michi hatte ganze Arbeit geleistet. Kim war total stolz auf ihn. Er hatte nach den Plänen der drei !!! die Stereoanlage der Winklers aufgerüstet und mit zusätzlichen Mikrofonen verkabelt. Er hatte so lange zusammen mit Kim herumgebastelt, bis sich die herkömmliche Anlage in ein Hightech-Aufnahmegerät verwandelt hatte: mit Mikrofonen an verschiedenen Stellen im Wohnzimmer und im Flur.

Plötzlich hörte Marie das leise Brummen eines Motors. Es wurde lauter und gehörte eindeutig zu einem Auto. Kurz darauf knirschten Reifen auf dem Kies vor dem Hauseingang. Es ging los! Marie ahmte täuschend echt ein Käuzchen nach. Das war das Zeichen für Michi, sich bereitzuhalten.

Autotüren schlugen zu, Schritte näherten sich dem Haus. Marie und Kim hielten den Atem an. Die Schritte gingen die drei Stufen zur Haustür hoch und blieben stehen. Dann stocherte jemand am Türschloss herum. Werkzeug klirrte, jemand fluchte leise.

Die Minuten kamen Kim und Marie ewig vor. Endlich hatten die Einbrecher das Schloss geknackt und öffneten langsam die Tür. Marie stupste Kim an. Aber die wusste auch selbst, dass es höchste Zeit war, die Aufnahme zu starten. Sie drückte auf den Aufnahmeknopf der Fernbedienung.

»Gut gemacht, Ben«, sagte eine dunkle Männerstimme.

»War kinderleicht«, erwiderte Ben. Seine Stimme klang heiser.

Es schienen also zwei Einbrecher zu sein. Die Männer traten in den Flur. Der Strahl einer Taschenlampe blitzte auf. Kim und Marie konnten das Licht durch die angelehnte Schranktür sehen. Die Einbrecher gingen den Flur entlang in Richtung Wohnzimmer.
»Das sieht ja nicht gerade edel aus«, sagte der Mann mit der dunklen Stimme enttäuscht. »Bist du wirklich sicher, dass wir hier an der richtigen Adresse sind?«
»Klar«, sagte Ben. »Ey, Ralf, wir können uns hundertprozentig auf Anton verlassen, das weißt du doch. Er sucht immer erstklassige Locations aus.«
Ralf räusperte sich. »Wenn du meinst. Na, dann wollen wir mal. Du nimmst dir die Schrankwand vor und ich seh mir das Regal näher an.«
Die beiden machten sich an die Arbeit. Marie und Kim hörten, wie sie unsanft Gegenstände herausrissen und Schubladen durchwühlten.
»Na also!«, rief Ben. »Hier haben wir doch jede Menge Bargeld in diesem schönen Glaskrug. Nicht gerade ein besonders gutes Versteck.«
»Ich hab auch was«, sagte Ralf. »Zwei goldene Uhren. Lagen einfach hier auf dem Regal rum. Sehen teuer aus.«
Kim lächelte hämisch. Das klappte ja alles wie am Schnürchen. Kommissar Peters hatte die Beutegegenstände zur Verfügung gestellt und die drei !!! hatten sie extra schön drapiert, damit die Einbrecher sie auch gleich sehen konnten.
Ben und Ralf stöberten noch eine Weile im Wohnzimmer herum.
»Was ist mit der Stereoanlage?«, fragte plötzlich Ralf. »Die

ist sogar noch an. Ts, ts, so eine Stromverschwendung! Sollen wir die auch mitnehmen?«
Kim sah Marie entsetzt an. Da sagte Ben: »Nee, die lassen wir da. Ist mir viel zu schwer, das alte Teil. Und so viel bringt das auch nicht ein.«
»Okay«, sagte Ralf. »Dann lass uns mal weiterschauen.«
Die Einbrecher kamen in den Flur zurück. »Los, gehen wir in die Küche«, sagte Bernd. »Da verstecken die meisten Leute ihre Wertsachen.« Kim und Marie rückten noch enger zusammen. Jetzt wurde es ernst!
Die Einbrecher kamen näher. Sie stießen die Tür ganz auf und betraten mit festen Schritten die Küche. Kim zuckte zusammen und stieß an einen Besen.
Ben horchte auf. »Was war das?«
»Ach, reiß dich zusammen!«, zischte Ralf. »Wahrscheinlich hat das Gör eine Katze, die hier im Haus herumschleicht.«
Kim atmete langsam wieder aus. Das war gerade noch mal gut gegangen.
Ben schnaufte. »Wenn du meinst. Aber ich habe ein komisches Gefühl. Lass uns abhauen. Die zwei Uhren sind mehr wert als der ganze restliche Plunder hier.«
»Was soll das?«, rief Ralf. »Machst du dir etwa in die Hosen, oder was?«
»Ich hab kein gutes Gefühl«, wiederholte Ben.
»Okay, wir hauen ab«, sagte Ralf.
Die beiden verließen die Küche und gingen auf die Haustür zu. Sofort kamen Kommissar Peters und Polizeimeister Conrad aus dem Wandschrank und Kim und Marie stürmten aus der Küche.

»Halt! Stehen bleiben!« Kommissar Peters richtete seine Pistole auf die Einbrecher. »Hände hoch!«, brüllte Marie. In dem Moment kam auch Michi die Treppe runtergerannt.
Die Einbrecher drehten sich um und starrten Kim und Marie an, als ob zwei Geister vor ihnen stehen würden. Kim erkannte Ralf sofort an den braunen, schulterlangen Haaren und dem leicht gebräunten Gesicht. Er war der Verdächtige, den die Verkäuferin aus dem Antiquitätenladen beschrieben hatte.
Ben und Ralf wurden bleich. Zitternd streckten sie ihre Hände in die Luft.
Zwei Sekunden später waren der Kommissar und Polizeimeister Conrad bei ihnen und tasteten sie von Kopf bis Fuß ab. »Was macht ihr drei hier eigentlich? Habe ich euch nicht verboten herzukommen? Aber das hätte ich mir ja denken können«, schimpfte Kommissar Peters, während er Ralf durchsuchte. Die drei machten schuldbewusste Gesichter, aber Kim und Marie konnten ihren Triumph nicht ganz verbergen.
»Keine Waffen«, sagte Polizeimeister Conrad.
»Dafür Diebesgut«, sagte Kommissar Peters und holte die goldenen Uhren aus Ralfs Jackentasche.
Der Polizeimeister fischte inzwischen das Bargeld aus Bens Hosentasche.
»He, was soll das?«, rief Ralf und behauptete frech: »Das sind meine Uhren!«
»Von wegen«, mischte sich Marie ein. »Die Uhren gehören Kommissar Peters und wir haben sie als Köder hingelegt, um euch auf frischer Tat zu ertappen.«

Ralf sah Marie mit funkelnden Augen an. »Wer ist wir? Wer seid ihr Gören überhaupt?«
Kim und Marie fassten sich an den Händen und antworteten gleichzeitig: »Wir sind die drei !!!.«
Ben sah zwischen Kim und Marie hin und her. »Aber ihr seid ja nur zwei.«
»Stimmt«, sagte Marie. »Franzi, die Dritte aus unserem Detektivclub, sitzt gerade mit Anton im *Café Lomo*.«
»Verdammt!«, zischte Ralf.
»Geben Sie auf«, sagte Kommissar Peters. »Gegen diese drei kommen Sie nicht an. Sie sind überführt und die Beweislast ist erdrückend. Ich verhafte Sie wegen Einbruch und Raub in zwei Fällen: bei Familie Tonde und heute bei den Winklers.«
»Ich will meinen Anwalt sprechen!«, sagte Ralf.
»Das können Sie gern«, meinte Polizeimeister Conrad, während er ihm und Ben Handschellen anlegte.
Bens Mundwinkel zuckten. »Ich hatte gleich ein komisches Gefühl, aber du hast mich ja überredet. Warum bin ich bloß mitgegangen? Du bist schuld, Ralf! Und Anton, der hat uns beide angestiftet mit seiner blöden Chatterei.«
Sein Komplize sah ihn verächtlich an. »Lass Anton und mich aus dem Spiel. Du hängst genauso mit drin wie wir.«
»Abführen!«, sagte Kommissar Peters.
»Mit dem größten Vergnügen«, sagte Polizeimeister Conrad.
Da kamen die anderen Polizisten aus ihren Verstecken und begleiteten die Einbrecher zum Polizeibus, der hinter dem Pferdeschuppen geparkt und mit ein paar Tannenzweigen getarnt war. Marie, Kim und Michi folgten ihnen.

»Alles klar?«, fragte Michi und zwinkerte Kim zu.
Die nickte und wurde rot. »Ja, alles im grünen Bereich. Und bei dir?«
»Auch«, antwortete Michi, »nur leider habe ich in Franzis Zimmer nicht viel mitbekommen. Ich bin schon ganz gespannt auf die Aufnahme.«
Ben drehte sich zu Marie und Kim um und schüttelte den Kopf. »Ich fasse es nicht! Diese Gören haben uns überführt?«
»Ja, genau«, sagte Kommissar Peters. »Aber von Gören kann keine Rede sein. Die drei !!! sind erfolgreiche Detektivinnen und haben bereits einige große Fälle gelöst.«
Ralf lachte höhnisch auf. »Gratulation!«
»Und was ist jetzt mit Anton?«, fragte Ben. »Den müssen Sie auch verhaften. Er ist der eigentliche Drahtzieher.«
»Verräter«, murmelte Ralf.
Polizeimeister Conrad öffnete die Schiebetür des Polizeibusses. »Keine Sorgen, um Anton kümmern sich gerade unsere Kollegen.«
Da klingelte das Funkgerät des Kommissars. »Ja, Peters? ... Sehr gut. ... Alles klar, danke. Bis gleich.« Er befestigte das Gerät wieder an seinem Gürtel und lächelte zufrieden. »Die Kollegen werden in ein paar Minuten hier sein. Sie haben Anton bereits festgenommen. Er hat keinerlei Widerstand geleistet und sofort ein Geständnis abgelegt.«
»Wie geht es Franzi?«, fragte Kim besorgt.
»Gut«, sagte Kommissar Peters. »Aber das könnt ihr sie auch gleich selbst fragen.«
In dem Moment bog ein Polizeieinsatzwagen auf den Hof und bremste mit quietschenden Reifen. Kim und Marie

rannten ihm entgegen. Da sprang auch schon Franzi aus dem Wagen.
»Wie war's?«, rief sie aufgeregt. »Hat alles geklappt?«
»Ja«, sagte Kim. »Und wie war's bei dir?«
Franzi lachte. »Anton hat dreimal gegen mich beim Kickern verloren. Und er war so vertieft ins Spiel, dass er nicht mal mitbekommen hat, wie der Polizist die Handschellen gezückt hat. Erst als sie klick! gemacht haben, ist er aufgewacht.«
Zwei Beamte führten Anton an den drei !!! vorbei. Anton warf Franzi einen düsteren Blick zu. »Miststück! Dabei war ich so nett zu dir.«
»Von wegen«, sagte Franzi. »Du hast mich nur benutzt. Aber der Plan ist leider nicht aufgegangen. So ein Pech aber auch!«
Anton knirschte mit den Zähnen. »Lass mich bloß in Ruhe, du Zicke!«
»Kein Problem«, sagte Franzi. »Viel Spaß im Gefängnis!«
Als Anton nach seinen Komplizen in den Polizeibus stieg und Polizeimeister Conrad hinter ihm die Tür schloss, atmete Franzi tief durch. Jetzt empfand sie wirklich nichts mehr für ihn. Die Verliebtheit war wie weggeblasen und das war auch gut so!

Drei Tage später, einen Tag vor Weihnachten, saßen die drei !!! mit Michi, Kommissar Peters und Polizeimeister Conrad im *Café Lomo*. Der Kommissar hatte sie eingeladen. Zum einen wollte er mit ihnen ein ernstes Wort reden, zum anderen ein Lob aussprechen für ihre erfolgreichen Ermittlungen. Nach der Standpauke saßen sie also jetzt gemütlich zusammen und aßen Waffeln mit heißen Kirschen und Vanilleeis.

Franzi war bei der zweiten Runde Waffeln so satt, dass sie sich stöhnend den Bauch rieb und die Hälfte stehen ließ. Sehnsüchtig sah Kim auf ihren Teller. »Darf ich?«
»Klar«, sagte Franzi und tauschte den Teller mit ihr.
»Guten Appetit!«, sagte Michi zu Kim und lächelte sie an. »Sieht oberlecker aus!«
Kim nickte und beugte sich tief über ihren Teller. Letztlich war sie doch froh, dass Michi ihren Liebesbrief nicht als solchen interpretiert hatte. So konnten sie einfach weiter Freunde sein und sparten sich diese ganzen verwirrenden Gefühle.
Während Kim sich das Eis mit den Kirschen auf der Zunge zergehen ließ, sah sich Franzi im Café um. Vor vier Tagen erst hatte sie hier mit Anton gesessen. Es kam ihr vor, als wäre es schon Wochen her.
Auf ihrem Tisch prangte ein riesiger Blumenstrauß. Den hatte ihnen der Kommissar gleich bei der Begrüßung überreicht. Jetzt lehnte er sich lächelnd in seinem Stuhl zurück. »Nach der Strafpredigt und dem Lob wollte ich euch noch ein paar Details berichten, die euch bestimmt interessieren werden. Aber zunächst einmal soll ich euch diesen Brief von Frau Tonde geben. Sie bedankt sich sehr herzlich bei euch und ich glaube, in dem Brief ist auch eine kleine Belohnung für euch drin.«
Franzi nahm den Umschlag entgegen und grinste. Vielleicht sprang ja doch noch ein neuer Gürtel für sie heraus!
»Die Täter hatten zum Glück das Diebesgut noch nicht verkauft«, redete Kommissar Peters weiter. »Wir haben den kompletten Schmuck, das Tafelsilber und die Münzen in der

gemeinsamen Wohnung von Ralf und Ben gefunden. Frau Tonde hat alles zurückbekommen und ist überglücklich.«
»Schön für sie«, sagte Kim. »Wie haben sie und ihr Mann denn reagiert, als sie erfahren haben, dass ihre chatsüchtige Tochter die Einbrecher angelockt hat?«
Kommissar Peters winkte ab. »Erst haben sie sich zwar furchtbar erschrocken, aber dann waren sie heilfroh, dass Sofie nichts passiert ist und sie ihre Wertsachen wiederhatten.«
Franzi nickte erleichtert.
»Und was gibt es Neues zu den Einbrechern?«, wollte Marie wissen.
»Die Einbrecher, die ihr gefasst habt, sind keine Anfänger«, sagte Kommissar Peters, »im Gegenteil. Bei unseren Ermittlungen sind wir auf weitere Einbruchsfälle in anderen deutschen Großstädten gestoßen. Die Bande hat immer mit demselben Trick gearbeitet: Anton hat in Chatrooms nach Opfern gesucht, nach Töchtern aus reichen Familien. Sobald er deren Adresse herausgefunden hatte, haben seine Komplizen zugeschlagen.«
Kim ließ die Kuchengabel klirrend auf ihren Teller fallen. »Und warum konnten sie so lange ungestört einbrechen?«
»Tja«, meinte Polizeimeister Conrad. »Bisher waren die Täter vorsichtig gewesen und hatten die Opfer aus verschiedenen Städten ausgewählt. Aber anscheinend sind sie mit der Zeit leichtsinnig geworden und haben in unserer Stadt gleich zwei Mädchen ausgewählt: Sofie und Franzi. Das war ihr entscheidender Fehler.«
Franzi nickte. »Als wir Sofie befragt haben, sind wir auch misstrauisch geworden. Sie war unsere erste Spur. Als sich

herausstellte, wer hinter ihrem Liebeskummer steckt, waren wir einen großen Schritt weiter.«
»Ach ja!«, seufzte Kommissar Peters. »Liebeskummer ist wirklich schlimm. Ich kann mich auch noch gut an meinen ersten Liebeskummer erinnern. Damals war ich fünfzehn.«
Die drei !!! tauschten einen amüsierten Blick. Der Kommissar als fünfzehnjähriger Junge mit Liebeskummer? Das konnten sie sich einfach nicht vorstellen.
»Was ist eigentlich aus deinem Krimi geworden, Kim?«, fragte Marie.
»Ich bin in den letzten Tagen leider nicht dazu gekommen, weiterzuschreiben«, sagte Kim. »Unser Fall hat mich total in Atem gehalten. Und dann muss ich alles noch mal neu abtippen. Gut, dass ich wenigstens einen Ausdruck der Datei hatte, die der Virus mir vom PC gelöscht hat! Aber jetzt habe ich ja wieder mehr Zeit. Auch deshalb, weil ich einen Monat lang nicht im Haushalt helfen muss. Ben und Lukas übernehmen alles für mich: abwaschen, Müll runterbringen. Und sie sind auf einmal supernett zu mir.«
Franzi lachte. »Dann hat sich der Virus ja doch gelohnt.«
»Allerdings«, sagte Kim.
»Kinder!«, rief Marie. »Quatscht nicht so viel, lasst uns lieber anstoßen.«
»Gute Idee«, sagte Franzi.
Die drei !!! hoben ihre *Kakao Spezial* hoch.
»Auf unseren Fall!«, sagte Kim.
»Auf uns!«, sagte Marie.
Franzi lachte. »Und auf viele weitere spannende Fälle! Ich kann es kaum erwarten.«

Eine Schule im Schloss

Dagmar Hoßfeld
Carlotta, Band 1:
Carlotta - Internat auf Probe
224 Seiten
Taschenbuch
ISBN 978-3-551-31142-9

Carlotta ist gar kein Prinzessinnen-Typ. Aber jetzt soll sie für ein Jahr in ein Schloss ziehen! Eigentlich ist es kein Schloss mehr, sondern eine Schule. Ob so ein Internat etwas für sie ist? »Erst mal nur auf Probe! Und höchstens für ein Jahr!«, denkt Carlotta. Carlotta lässt sich nicht so leicht unterkriegen, aber das Leben auf dem Internat ist ganz anders als zu Hause. Wie soll sie es mit den beiden merkwürdigen Mädchen aushalten, die das Zimmer mit ihr teilen? Und wieso ist man hier eigentlich nie alleine? Carlottas Leben wird auf den Kopf gestellt. Sie muss sich von Gewohntem verabschieden. Aber dafür tritt auch viel Neues in ihr Leben.

www.carlsen.de